江戸三十三所観音巡礼

新妻久郎・著

すいせんの言葉

身近な観音めぐりの手引きとして

品川寺住職　仲田順英

江戸時代、西国三十三観音霊場に触発され、各地に多くの三十三観音霊場が創設されました。一般庶民が他国をたやすく行き来できなかった時代、藩の内にあっても三十三観音を自由にお参りできることは、人々にとって大きな喜びであり、それが観音信仰が広がる基盤ともなったのです。

江戸時代を代表する作家・近松門左衛門（一六五三～一七二四）は「三十三に御身を代え　色でみちびき　情でおしえ　恋を菩提の橋となし渡して救う観世音」と、『曽根崎心中』の中で記し、庶民の生活の中で隣人のように、「観音さま」を身近な存在としてとらえています。

今では、どこへでも簡単に行き来できるようになり、人々はこぞって観光旅行にでかけます。しかし、仏さまの光を見る「観光」こそが、まさに旅の原点であり、旅は信仰によって支えられてきました。

本書は、私たちの身近な存在として生活の中で培われてきた観音信仰の案内書です。何もかも早くて便利であることを求められるこの時代に、身近な三十三観音霊場を本書の案内でブラリブラリと出かけ、自分とそれを取り巻く身近な社会をじっくり見つめてみるのも意義のあることではないでしょうか。

江戸三十三所観音巡礼

目次

装丁　森本良成

はじめに

江戸の面影を楽しめる江戸三十三観音札所

「このお寺の観音さまは、本当によく願い事を聴いてくださるのですよ。娘のことで悩んでいるとき、あることをお願いしたんです。そうしましたら、あなた、どうですか。観音さまは、わたしの願いを聴いてくださったのです。悩みがふと切れたのです。わたしは救われたのです。それ以来、わたしはこの境内を掃除させていただいております」

十六年前、この本をまとめようとしたとき、あるお寺で晴れやかな表情で話されたご婦人のことを、わたしは真っ先に思い出した。今でもそのご婦人は、今日もそのお寺の境内で箒を手にした姿を見せているに違いない。また、親戚のある女性から家庭的な相談を受けた。観音札所めぐりを勧めたところ、一年ほどして、冒頭のご婦人と同じようなことをいって感謝されました。

人はこの世で生きていくのに四苦八苦する。悩み苦しみを自力で解決できないときがある。そんなとき社寺に詣でて神仏に祈願する。他にも多くの神仏がおられるのに、観音さまに祈願する人が多い。それは観音さまが気安く、あらゆる願い事を聞き届けてくださり、身に降りかかる厄難を除いてくださることを、みなさんがよく知っているからであろう。

確かに観音さまは「観音菩薩」「観世音菩薩」「観自在菩薩」といって、世の中の音、つまり人々の苦悩の声を聴かれてよく観察され、自由自在に救うことができる仏さまである。われわれ人間とおなじように、たえず努力を続けている菩薩さまだから一層親しみを感じるのであろう。

人間というものは勝手なもので、願い事をするとき、ひとつのお寺だけでなくたくさんのお寺にお詣りしたほうが、はるかに効き目があると思ってしまう。そんなところからお寺をいくつも回る観音霊場めぐりが始められたのであろう。そのうち、確かに巡拝しましたという印（しるし）に、自分の氏名や住所を書いた木札を巡拝者が堂の柱などに打ち付けるようになり、その霊場を札所とよび、木札が紙の納札にかわっても札所をめぐることを「打つ」というようになった。

観音札所めぐりは平安時代から始められたといわれている。西国三十三霊場、坂東三十三札所、秩父三十四か所などの観音めぐりはそのいい例である。その後、江戸時代に入って世の中が安定し経済的にもゆたかになると、娯楽もかねて札所めぐりをしたり、あるいは遠方に行けない人のために、その人が住んでいる近くに三十三観音札所をこしらえ、気軽にお詣りするようになった。そのため全国に三十三観音札所は無数にある。江戸時代には江戸においても、江戸三十三観音札所、山の手三十三か所、深川三十三霊場など、いろいろな観音札所があった。

浅草寺を一番として目黒不動の瀧泉寺を満願成就とする江戸三十三観音めぐりは、江戸時代の中期あたりに成立していたようであるが、その後、幾度となく変遷を繰り返し、ようやく昭和五十一年、「昭和新撰江戸三十三観音霊場札所」として新たに生まれ変わった。

その観音札所は、わが国を代表するような大きな古刹・名刹がある一方、昔ながらにご近所の人々に親しまれてきた心温まる小さなお寺もあり、昭和になってから江戸三十三観音札所に選ばれたお寺もあって、とてもバラエティに富んでいる。東京都内十二区にまとまり交通にも便利である。そのうえ、そのほとんどが江戸時代から存続していたこともあって、お寺ばかりでなく周辺にも江戸の色彩が残っている。そこでわたしは文中あえて「昭和新撰」という文字を用いず、例外を除いて「江戸三十三観音札所」という名称を使わせていただいた。

観音さまの霊験を浴びながら健康に感謝

観音さまは『般若心経』の冒頭に登場する。しかし、正しくは『妙法蓮華経観世音菩薩普門品第二十五』という、『観音経』に書かれている。この『妙法蓮華経』というお経はすべてのお経のうちで最高のお経といわれ、天台宗と日蓮宗では根本をなす聖典としている。とりわけ日蓮宗のお題目は「南無妙法蓮華経」(『妙法蓮華経』にお任せいたします)である。また、真言宗、臨済宗、曹洞宗などでもよく唱えられている。このお経の特色は、観音さまを念じてその名を呼ぶと苦悩から必ず救われるといっていることである。

観音さまには様々なお姿がある。原則的に天台宗では、人間と同じように一つの顔と二本の手をもつ聖(しょう)観音、頭の頂(いただき)に十一の面をいただく十一面観音、千の手がある千手観音、頭のうえに馬の顔をいただく馬頭観音、手を頬にあて左足をまげて右足を膝立てしている如意輪観音、索といって縄や鎖や網をもっている不空羂索観音を六観音といい、真言宗では如意輪観音に代わって顔がひとつで眼が三つ、手が十八本の准胝観音を入れて六観音にしており、これらすべてを入れて一般に七観音といっている。その他にも姿を変える観音さまがたくさんおられ、江戸三十三観音札所にも、その変化観音を本尊とするお寺がいくつかある。

わたしは江戸三十三観音札所を幾度も一人でめぐってみた。また旅行会社が主催するバスツアーにも参加して、多くの人々ともお参りした。この旅行会社のバスツアーは番外寺院を含めて三十四か寺を四回に分けて、それぞれ個性豊かな先達さんの案内をいただいて巡拝するもので、新しい発見などがあって大変楽しいツアーであった。

巡礼のときのお寺でのお話しや、お寺からいただいた「縁起」「略縁起」「しおり」「由来」その他のパンフレットを読んでみると、そのお寺のことはもちろんのこと、いろいろなことがわかって楽しい。この本をまとめるのにも、当然ながらすごく役に立った。本文では、それらの参考資料は特別なものを除いて、みな「縁起」という文字に置き換えさせていただいた。ご了承をたまわりたい。

いろいろなお寺をめぐって光を仰ぎ、ご本尊に掌を合わせ、信仰に目ざめて生きていることに感謝することは、健康にこのうえもなくよく、とても幸せなことである。あるお寺のご住職が、「現代には信仰・観光・健康が大事」といわれていたが、まさにお寺めぐりにはうってつけの言葉である。

東京・その周辺の方には、気楽にお参りできる江戸三十三観音札所めぐりをお勧めしたい。

合掌

令和元年　晩秋

著者　新妻久郎

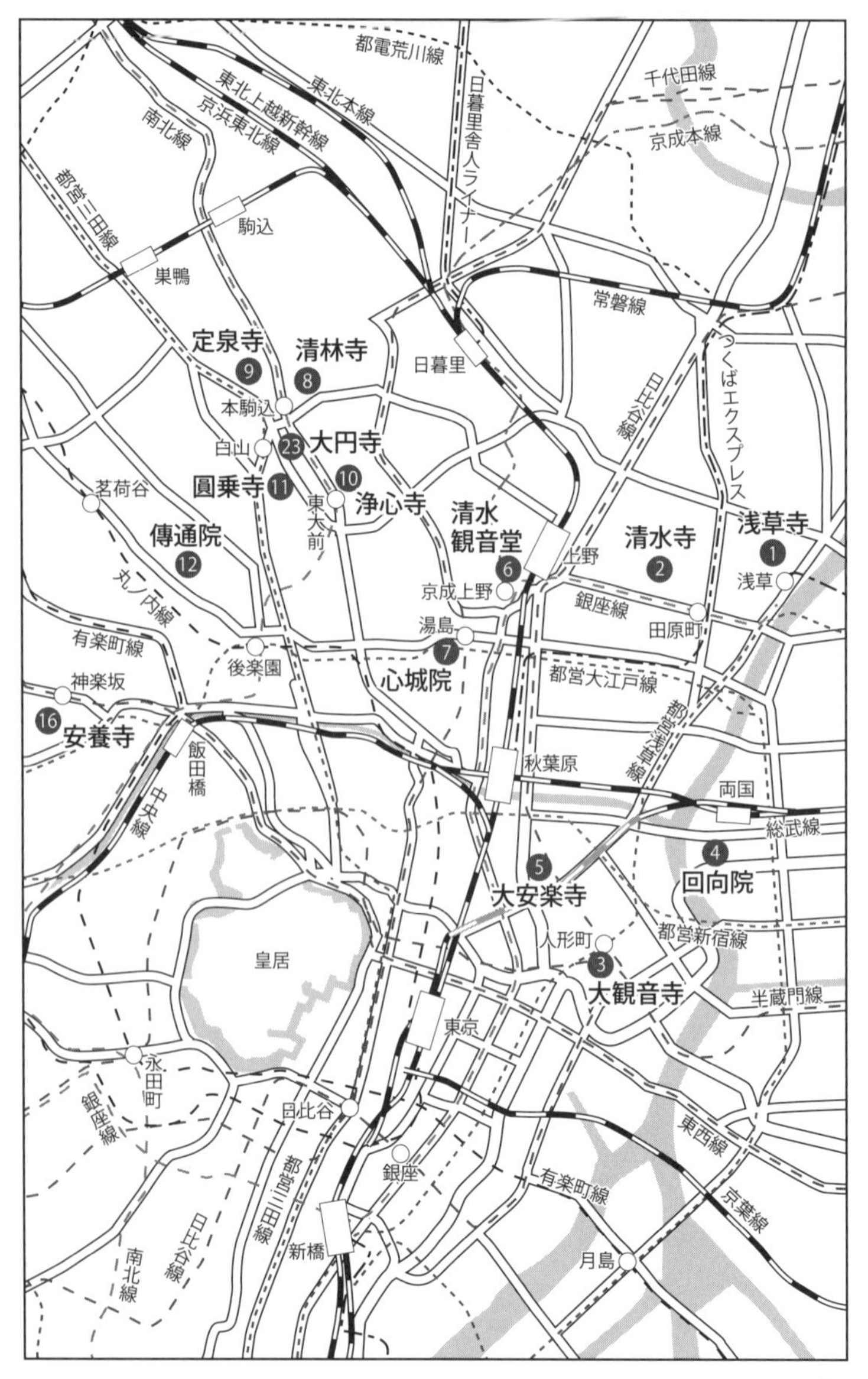
都電荒川線
東北本線
東北上越新幹線
京浜東北線
南北線
都営三田線
日暮里舎人ライナー
千代田線
京成本線
駒込
巣鴨
常磐線
定泉寺
9
清林寺
8
日暮里
日比谷線
つくばエクスプレス
本駒込
白山
23
大円寺
圓乗寺
11
10
東大前
浄心寺
茗荷谷
清水
観音堂
6
清水寺
2
浅草寺
1
傳通院
12
上野
浅草
丸ノ内線
京成上野
銀座線
田原町
湯島
7
有楽町線
後楽園
心城院
都営大江戸線
神楽坂
16
安養寺
飯田橋
都営浅草線
秋葉原
両国
中央線
総武線
4
5
回向院
大安楽寺
皇居
人形町
3
都営新宿線
大観音寺
半蔵門線
東京
永田町
日比谷
銀座線
東西線
都営三田線
銀座
有楽町線
京葉線
日比谷線
新橋
月島
南北線

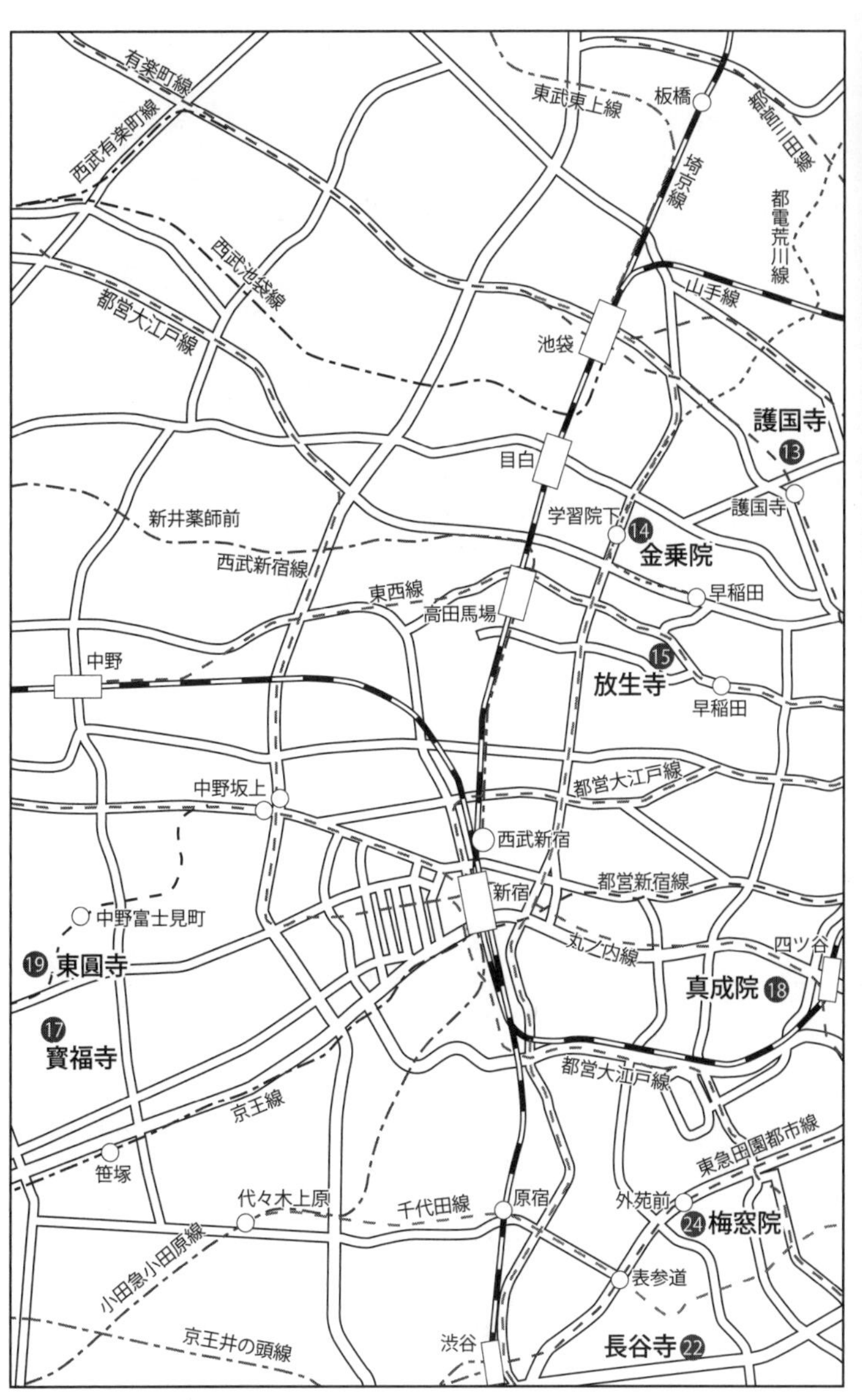
有楽町線
西武有楽町線
東武東上線
板橋
都営三田線
埼京線
都電荒川線
西武池袋線
山手線
都営大江戸線
池袋
護国寺
13
目白
護国寺
新井薬師前
学習院下
14
金乗院
西武新宿線
東西線
早稲田
高田馬場
中野
15
放生寺
早稲田
都営大江戸線
中野坂上
西武新宿
都営新宿線
新宿
中野富士見町
丸ノ内線
四ツ谷
19
東圓寺
真成院
18
17
寳福寺
都営大江戸線
京王線
東急田園都市線
笹塚
代々木上原
千代田線
原宿
外苑前
24
梅窓院
小田急小田原線
表参道
京王井の頭線
渋谷
長谷寺
22

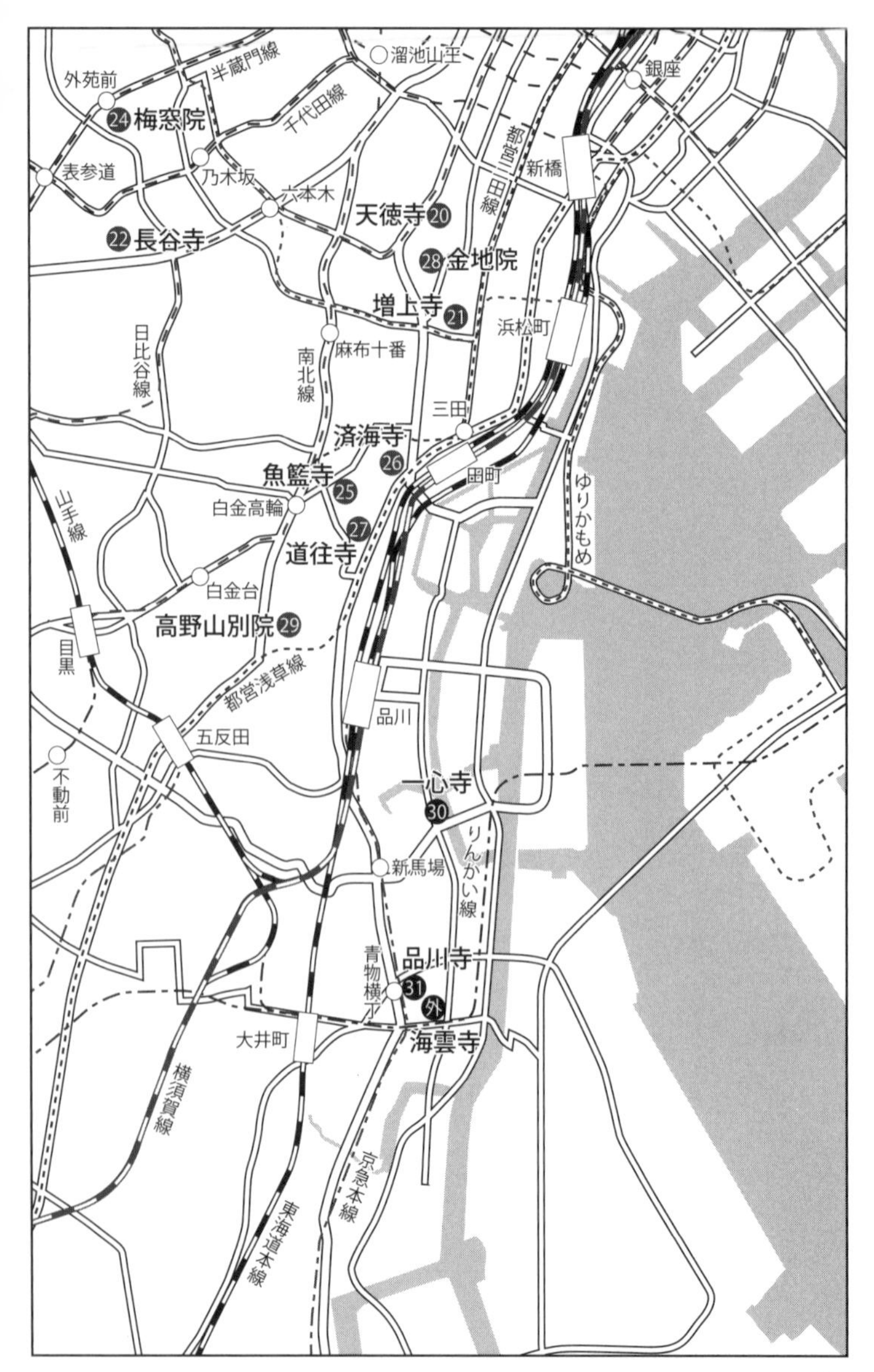

溜池山王
半蔵門線
銀座
外苑前
千代田線
24 梅窓院
都営三田線
新橋
表参道
乃木坂
六本木
天徳寺 20
22 長谷寺
28 金地院
増上寺 21
浜松町
日比谷線
麻布十番
南北線
三田
済海寺
26
田町
魚籃寺
25
山手線
白金高輪
27
ゆりかもめ
道往寺
白金台
高野山別院 29
目黒
都営浅草線
品川
五反田
不動前
一心寺
30
りんかい線
新馬場
青物横丁
品川寺
31
外
大井町
海雲寺
横須賀線
京急本線
東海道本線

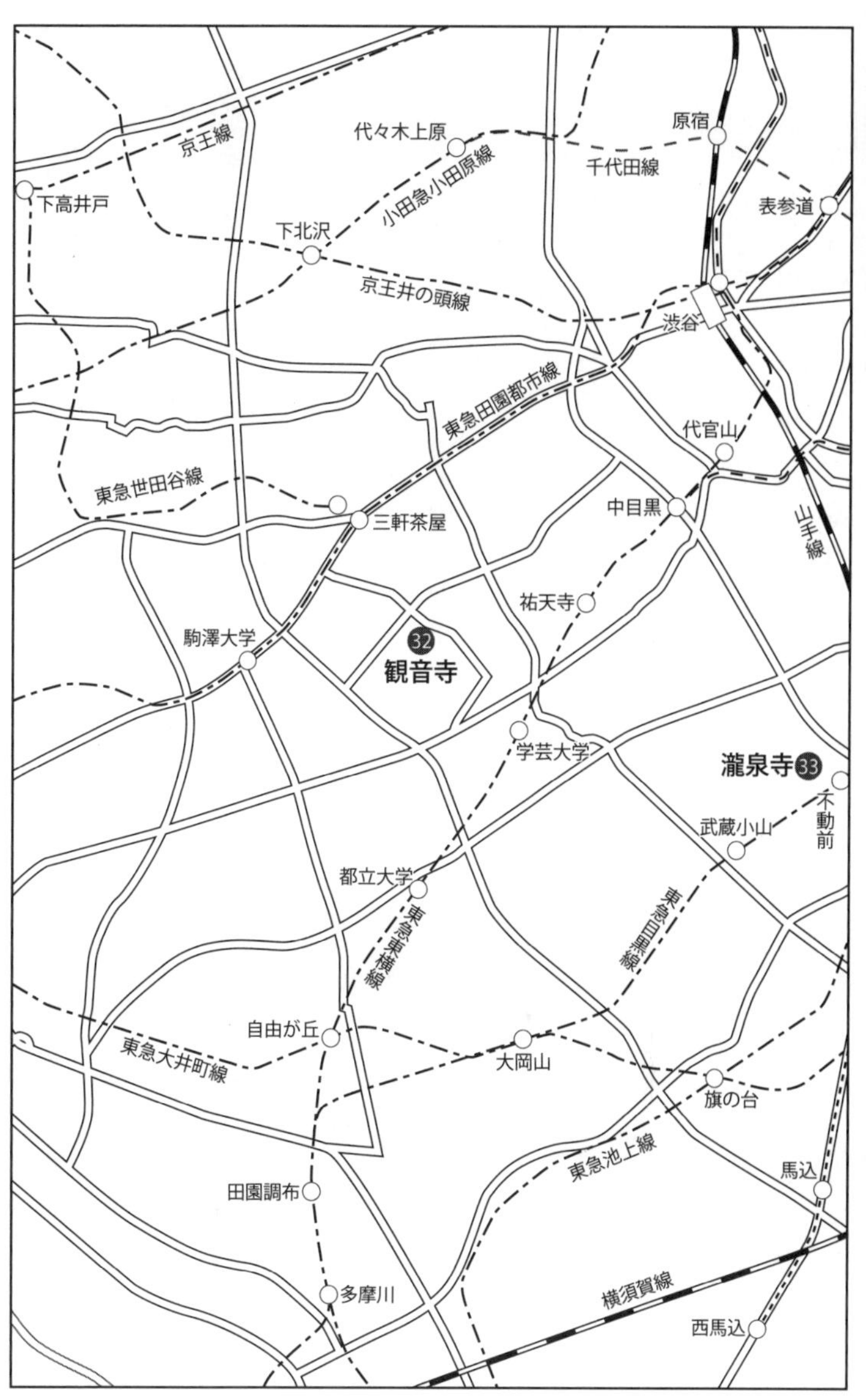
京王線
代々木上原
原宿
千代田線
下高井戸
小田急小田原線
表参道
下北沢
京王井の頭線
渋谷
東急田園都市線
代官山
東急世田谷線
中目黒
三軒茶屋
山手線
祐天寺
駒澤大学
32
観音寺
学芸大学
瀧泉寺
33
不動前
武蔵小山
都立大学
東急東横線
東急目黒線
自由が丘
大岡山
東急大井町線
旗の台
東急池上線
馬込
田園調布
横須賀線
多摩川
西馬込

第1番　金龍山　浅草寺（せんそうじ）

〒111-0032　東京都台東区浅草2-3-1　☎03・3842・0181

御詠歌●深きとが　今よりのちは　よもあらじ　つみ浅草へ　まいる身ならば

宗派　聖観音宗・総本山
札所本尊　聖観世音菩薩

投網にかかった一体の仏像から

「浅草の観音さま」として多くの人々に親しまれている浅草寺は、聖観音宗の総本山で、関東を代表する古寺である。江戸三十三観音札所第一番で、坂東三十三観音霊場の第十三番札所でもある。参詣者は一日数万、正月三が日には二百数十万人にのぼるほど賑わっている。

浅草寺に伝わる『浅草寺縁起』によると、推古天皇三十六年（六二八）三月十八日、檜前浜成（ひのくまはまなり）と弟の竹成の兄弟が、宮戸川（隅田川）の下流、今の駒形堂の辺りで漁をしていると、黄金色に輝く一体の仏像が投網にかかった。兄弟が土地の豪族の土師中知（はじのなかとも）に見せると、中知はその仏が聖観世音菩薩像であることを知り、出家して自宅を寺として深く帰依した。これが浅草寺の草創といわれている。

観音さまには変化観音といっていろいろな姿の観音像があるが、浅草寺の聖観音像は人間と同じように顔がひとつ、手が二本の観音で、他の観音と区別するために「聖（しょう）（正）」という字を頭につけている。「聖（正）」というのは、正しいとか正しくないとかの意ではなく、基本と

本堂

いう意味である。金龍山という山号は、ご本尊の観音さまが現れたとき、金色の鱗がある龍が天から下りてきたのに由来しているという。また土師中知と檜前浜成・竹成兄弟の三人を祀ってあるのが、本堂に向かって右手にある三社と呼ばれている浅草神社で、祭りは赤坂の日枝神社、神田の神田明神とともに江戸三大祭りの一つに数えられている。

今も厨子の扉は閉ざされたまま

寺の創建から二十年ほどした大化元年（六四五）に、勝海（しょうかい）上人がこの地に留まり、夢告によってご本尊を「秘仏」に定めた。平安時代の初期には、慈覚大師円仁が比叡からこの地にみえ、一寸八分の秘仏であるご本尊にかわり、その十倍の一尺八寸の聖観音菩薩像を、「お前立」のご本尊として謹刻したという。それ以降、ご本尊は絶対秘仏として、厨子の扉は閉ざされたまま今に至っている。歴代のご住職といえどもその尊像を拝したことがないそうである。

その後、源頼朝、足利尊氏、北条氏綱たちの信仰をえて保護された。ことに鎌倉時代の初めに「坂東観音三十三札所」が制定され、また徳川家康が江戸に入り、天海大僧正の進言をいれて浅草寺を徳川家の祈願所に定めると、江戸の発展とともにこのお寺にも参詣する人が多くなり、観音霊場としてゆるぎないものとなった。

元禄年間に観音を祀った十八間四方の堂々とした本堂（観音堂）は、三代将軍家光が願主となり再建された。だが残念なことに昭和二十年三月十日の東京大空襲で、浅草神社と二天門を除いてすべてが焼け落ちてしまった。現在の本堂は昭和三十三年に、旧本堂と同じ形式の入母屋造りの鉄筋コンクリートで造られた。また、風神・雷神を祀っている風雷神門、略して雷門の総門は昭和三十五年に、寺宝を収蔵している宝蔵門は昭和三十九年に、かつて本堂の東側にあった五重塔は昭和四十八年にそれぞれ再建された。東京名物の雷おこしの名は雷門に由来している。

なお本堂の再建工事の際、古瓦などに混じって和同開珎が出土しているので、縁起記載のように推古朝の創建も認められ、また、明治二年に浅草寺本坊の伝法院の庭から石棺（一説では水板）が発掘されているので、古くから浅草という地は開けていたようだ。

バスツアーで新発見に出会った

さて、本堂内は外陣（げじん）と内陣に分かれており、外陣の天井の中央は川端龍子の「龍之図」が、

雷門

左右には堂本印象の「天人之図」と「散華之図」が荘厳され、昼間であればだれでも内陣に入って参拝できる。内陣中央には間口四・五メートル、高さ六メートルの大きな御宮殿（厨子）があり、内部は二間の座敷になって奥の間に「秘仏」のご本尊が、前の間に「お前立」のご本尊が安置されている。お前立本尊は、特別な開扉法要のときに拝観できるようである。なお御宮殿の後方、向かって右手に不動明王が、左手には愛染明王が小ぶりな厨子のなかに奉安され、御宮殿のすぐ左右に梵天と帝釈天が安置されている。そして御宮殿のちょうど裏側に位置する、裏堂の中央には観音像（通称・裏観音）が安置されている。

　浅草の観音さまには何回となく参詣しているが、ほとんどは地下鉄浅草駅から雷門あるいは仲見世から宝蔵門をくぐって、本堂の外陣で合掌し参拝をすませて、ふたたび浅草駅に引き返していた。ところが「江戸三十三観音めぐりバスツアー」（以下、原則としてバスツアー）の参詣では、二天門から境内に足を踏み入れ、本堂内陣に入り、そこで読経して裏堂の観音像を参拝させていただいた。

その日は五月十七日の三社さんの祭礼の日で、朝九時すぎであったがかなり賑わっていた。私は二天門をくぐったことも内陣に入ったことも、また内陣で読経したことも、裏堂中央に観音像が安置されているのを知ったのも初めてであった。浅草寺を百度以上参詣してきたというツアー仲間の一人も、「裏堂に観音さんが祀られていたことを初めて知った」と、かなり興奮ぎみによろこんでおられた。バスツアーの功徳というものか。寺社参詣も方法をちょっと変えてみると新発見に出会うものである。

これぞまさに観音さまのお寺

バスツアーのメンバーはそのほとんどが、白衣の笈摺（おいずる）を羽織り、輪袈裟をかけた巡礼の正装をしている。だから目立ちそうだが、浅草はさすが門前町でかえって巡礼姿が町に融合して、とても似合っているように感じられた。

浅草は旧浅草公園地時代、本堂を中心としたあたりが一区、仲見世が二区、旧瓢箪池のあたりが三・四区、遊園地（花やしき）のあたりが五区、映画館のあるところが六区（浅草ロック）と区分けされていた。江戸時代から芝居小屋がかけられ、仲見世での買い物などで浅草へ人々が集まり、明治の世になっても変わらず、東京一の繁華街になった。これほど浅草が賑わったのは、観音さんが秘仏で神秘性があり、長い伝統に支えられている一方で、庶民的なお寺であり、多くの人々を惹きつけたからであろう。

浅草寺は現世利益の信仰が多い。無病息災、商売繁昌、良い就職などにご利益があるそうである。一年中行事があって賑わい、拝観料もとらず、内陣で観音さまをまぢかに祈ることができ、裏堂にも自由に行くことができる寺院はあまりないのではなかろうか。大寺院にしては不思議なほど優しく情深いお寺である。まさに観音さまのお寺である。

宝蔵門は平成十九年に、本堂は平成二十二年に五重塔は平成二十九年に屋根瓦を鉄より四割軽く、アルミの三倍も強いチタン瓦への取替え工事を行った。本堂の屋根の重さは九百三十トンから百八十トンに減した。本堂の瓦は東日本大震災の際には一枚も落ちることはなかったそうである。大地震への対策として注目されているということである。

第2番　江北山　清水寺（せいすいじ）

宗派　天台宗
札所本尊　千手観世音菩薩

〒111-0036　東京都台東区松が谷2-25-10　☎03・3844・7672
御詠歌●ただたのめ　千手のちかひ　ひろければ　かれたる木にも　花さくと

金色に輝く千手観音菩薩

一番札所の浅草の観音さまを参詣したあと、その境内を左手に向かって国際通りを横切り、下町風情を楽しみながら、かっぱ橋通りを十分くらい歩いていくと清水寺がある。道具街に面した十字路近くにある十数階のマンション前の近代的な建物である。この寺の寺号は「きよみずでら」とか「きよみずじ」とか読みそうだが「せいすいじ」と読む。

平成の初めまで寺は民家風の建物であったが、平成七年から二年かけて大普請を行って、現在はあたりの風景ともマッチした近代的な建物になった。この寺と田原町駅との間には東京本願寺があり、このあたりはまた寺院の非常に多いところで、浅草通りには仏具屋が軒を競っている。

清水寺は山号を江北山、院号を宝聚院と号する天台宗のお寺である。ご本尊は千手観世音菩薩で、本堂中央に開扉されている厨子のなかに安置されている。蓮華座の上の飛天光という楕円形の光背の二重円光に包まれて合掌している座像である。他の手はさまざまな持物を持って

本堂

いる。高さは一メートルくらいであろうか。堂内も新しくすべての仏具も新しいようだ。観音さまもすべてが金色に輝きまばゆいほどで、私の目にはそんなに古い像にはとても思えなかった。しかし、このご本尊は台東区有形文化財に指定されているので、かなり年代を経た観音像であることは間違いないであろう。

千手観世音菩薩は正式には千手千眼観世音菩薩といい、千本の手があり、その手すべてに一つずつの眼があるという。「千」というのは具体的な数ではなく無限を意味しており、すべての人の願いごとをこの眼で見て、その願いごとをもらすことなく拾ってくれる有り難い観音さまである。実際は省略して手が四十二本という像が多い。

鑑真和尚が唐から招来したと伝えられる唐招提寺の千手観音は、本当に千本もの手を持つ観音さまである。また、後白河法皇の命令で造られ、京都の三十三間堂に安置されている千一体の千手観音には、目を奪うばかりに圧倒され、自ずと合掌したくなるほど不思議な雰囲気に包まれるのを、経験された方も多くおられよう。

慈覚大師みずから一刀三礼して

いただいた縁起によると、今からおよそ千二百年前、五十三代淳和天皇の天長六年(八二九)に疫病が天下に広まり、わがことのように悲しまれた天皇は、天台宗の総本山比叡山延暦寺の座主である慈覚大師円仁に、疫病退散の祈願を命じられた。そこで慈覚大師は京都東山の清水寺の観音さまにならって、みずから一刀三礼して千手観世音菩薩像一体を刻まれて、武蔵の国江戸平河、現在の千代田区平河の地に寺を開いてお祀りしたところ、疫病は瞬く間におさまったという。

その後、寺はやや荒廃していたが、慶長年間(一五九六〜一六一五)に当時の住職の慶円法印が、比叡山正覚院の探題豪感僧正の協力をえて中興され、徳川家康が江戸に入府すると清水寺は江戸城築城のために平河の地から馬喰町に移り、さらに明暦三年(一六五七)の振り袖火事のあと現在地に再興されたという。

西国三十三札所のご本尊の多くは千手観音であるのに、「江戸三十三観音札所」で札所のご本尊として千手観音さまをお祀りしているのは、他に六番の清水観音堂と二十七番道往寺(聖観世音菩薩もご本尊)の二ヶ寺であり、思ったより少ない。また『江戸名所図会』にこの寺は「清水寺観世音菩薩(せいすいじかんぜおんぼさつ)」と記されているように、寺名も第六番の清水観音堂と漢字では似通っており、また宗派も同じであるので、元をた

二階の観音堂

だすと二つの寺院は同根の寺院のように思えてくる。
江戸三十三観音札所の観世音菩薩のうち最も多いのは聖観音で、十九ヶ寺とおよそ半数である。また十一面観音が八ヶ寺、千手観音が三ヶ寺、如意輪観音が二ヶ寺で馬頭観音は一ヶ寺である。他の観音が三ヶ寺ある。

人と人とのつながりを大切に

バスツアーでの参詣のときは、どの寺院でも札所本尊に向かって読経する。読経の経本はふつう、「開経偈」「三偈文（三回）」「般若心経」「本尊真言」「十句観音経」「回向」である。ただ先達さんの意向によっては、「般若心経」のかわりに「観音経偈文」が拝読されることがある。この清水寺ではメンバー全員が本堂に入堂し、「観音経偈文」を読誦した。「般若心経」は二七六字で、「観音経偈文」はその倍以上のおよそ六〇〇字である。

バスツアーは、番外一ヶ寺を含めて三十四ヶ寺を、月に一度、四回に分けて参詣した。四回とも参加者はおおよそ三十名ほどであった。先達さんは一回目と四回目が真宗大谷派の同じ僧侶の方であった。あまりうるさいことはいわず、真宗の僧侶らしくあるがままという態度で、「参加者のなかにはいろいろな宗派の方がおられるでしょうから、強制はできない」といわれて、本尊真言は唱えなかった。

あとの先達さんは高野山真言宗の僧侶で、二回目の方は服装にとても厳しかった。「大事な人の家を訪問するのに普段着で伺いますか」と、三度くらい輪袈裟と笈摺の着用を催促していた。三回目の先達さんは大変気がいい一方、なにごとにも厳しかった。先達さんが説明しているときメンバーが喋っているとすぐ注意した。読経も厳しかった。ある寺では、途中で「揃っていない」といって、初めからやり直しを命じた。この方は異常なくらい霊感を感じるのか、水子地蔵とか霊廟と書かれているところでは、印を結んで結界をつくられていた。いろいろな先達さんがいるものである。バスツアーならではの体験であった。

初めて清水寺を一人で参詣したときは、本堂でご本尊に合掌して拝観させていただいたあと、寺院の内部を一通り案内していただいた。狭い寺域に建てられた本堂なので内部も狭いと思い込んでいたが、かなり広々とした間取りであったのにはいささか驚いた。

以前訪れた二〇〇五年から門前のかっぱ橋

道具街通りの風景は変わっていなかった。

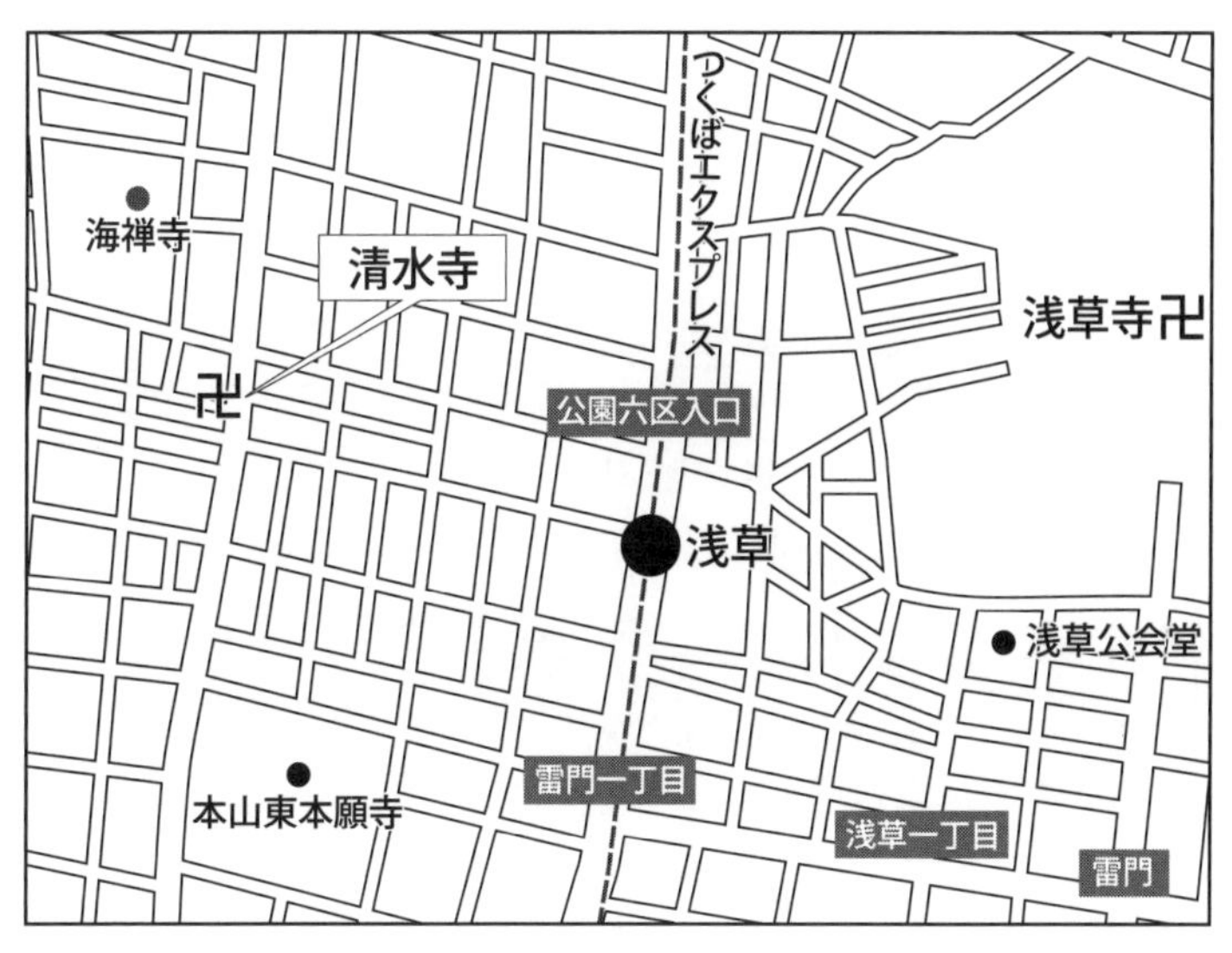

第3番　人形町　大観音寺（おおがんのんじ）（通称・大観音）

宗派　聖観音宗
札所本尊　聖観世音菩薩

〒103-0013　東京都中央区日本橋人形町1-18-9　☎03・3667・7989

御詠歌●くろがねの　かたきちかいに　み仏は　花咲くがごと　ちまたにぞ立つ

夏なら浴衣姿でお詣りできる下町のお寺

私は日本橋の人形町あたりに行くと、決まって大観音寺に参詣する。駅から近く気安く参詣できるからである。人形町とはなんともかわいい町名である。このあたりは江戸時代の寛永年間（一六二四〜四三）のころには芝居小屋が立ち並んで、芝居の見物客が土産に買っていく人形を売る店がたくさんあった。町名はそれに由来しているそうである。

人形町の駅を出て水天宮のほうに数分歩くと、五色の幟旗が見えてきて、二十数段の石段を上ると、そこが大観音寺の境内と本堂である。普段着や夏なら浴衣姿でお詣りできる、いかにも日本橋という下町にふさわしいお寺である。町ともいい関係を演出しているように感じられる。何回目かにお詣りしたときには、イラン系の若者三人が本堂に合掌したり写真を撮ったりしていた。外国人にも気安く感じられるお寺なのであろう。

このお寺の寺号は、タイトルの振り仮名のとおり、正式には「おおがんのんじ」とのことだが、このあたりでは「大観音（おおがんのん）」として親しまれている。谷崎潤一郎の小説『幼少時代』やその他の書物でも、通称「大観音」として紹介されていることが多い。

　大観音寺は聖観音宗のお寺で、宗派の名で察しがつくようにご本尊が聖観世音菩薩である。聖観音宗というのはあまり聞き慣れない宗派の名前であるが、『仏教宗派辞典』（東京堂　平成二年）によると、古来伝えられてきた観音信仰を宣揚し、昭和二十五年に従来所属していた天台宗から浅草寺を総本山として別立した。支院二十四か寺、末寺一寺、僧五〇人というこぢんまりとした宗派である。

本堂入口

源頼朝の妻政子との縁が深いご本尊

　聖観世音菩薩の多くは、印が「施無畏印」である。右手を開いて五本の指を伸ばし掌を外に向けて肩まで上げている。無畏を施す。「畏れないで安心しなさい」という意味である。また聖観世音菩薩は、ふつう「未敷蓮華」といって、つぼみが半開きの蓮の花を手に持っている。私たちの心にある仏性を、慈悲で開こうとしている姿を表している。

このお寺の歴史は鎌倉時代にさかのぼる。源頼朝が鎌倉幕府を創設したとき、その妻北条政子が京都の清水観音に帰依していたことから、鎌倉の地に「新清水寺」を創建し、鉄造の聖観音をご本尊として祀った。ところが正嘉二年（一二五八）正月十七日、寿福寺や若宮などとともに火災にあって堂塔伽藍がことごとく焼け落ちてしまった。そのときご本尊は、寺僧の手によって難を井戸に避けられたのである。この井戸はくろがねの井戸といわれ、鎌倉十井の一つとして現在にいたっている。

この井戸の西向かいの地に鉄観音堂が再建されて、里人の尊崇を受けて栄えていた。だが鶴ヶ岡八幡宮小別当の所有であったため、明治のはじめに襲った神仏分離の命によって、この観音堂は廃仏毀釈をまともに受け、観世音菩薩像は由比ヶ浜に捨てられそうになったのである。そのとき、東京人形町の住人であった石田可村と山本卯助の二人が、船で東京御船蔵前に遷し、明治九年に今の人形町の地に勧進してお祀りしたと伝えられている。

高さ八メートルもの大観音さま？

私たちはバスツアーで、五月十七日にこの寺を参詣した。一般には観音さまの縁日は十八日で、その日がご開帳で札所観音を拝観することができる寺院が多いが、大観音寺は毎月十七日がご本尊開帳であり、バスツアーのメンバー全員三十人を堂内にあげていただき、ご本尊を拝観する機会にめぐまれた。

なぜ十七日がご開帳なのか、後日お寺の方にうかがった。先述したように鎌倉で火災に遭ったとき、難をのがれた日が一月十七日であった

本堂

のにちなんで、毎月十七日を開帳の日に決めたということであった。秘仏で特定の日に開帳する寺には、それなりに理由がある。たとえば六番の清水観音堂のご本尊である秘仏の十一面観世音菩薩は、年に一回、二月最初の午（うま）の日に開帳する。それは、ご本尊をかつて念持仏としていた武者が、午の年、午の日、午の刻に、斬殺を逃れたことに起因している。

　大観音寺の堂内の正面には、一メートル六十八センチという鉄造の観音さまの頭部が安置されている。ご本尊は都指定重文である。頭部だけでもこれだけ大きい観音さまであるから、全体像なら八メートルもの高さの大観音さまであったのだろう。大観音寺という寺名はこの観音さまの大きさから採ったものと考えがちで、私もそう思っていたが、そうではないそうだ。

お寺の方によると、関東大震災までは青銅製の丈六の観音像がご本尊で、大観音寺の寺名はその丈六の観音さまに由来しているとのことである。また、丈六観音は大震災で崩壊してしまい、その用材で現在の「お前立」銅造観音立像が鋳造されたそうである。ご本尊は月に一度のご開帳だが、「お前立」の観音さまは毎日お詣りすることができる。

観音の耳に届けよ真摯な祈り

バスツアーの一行は、ご本尊の観音さまの前に座り、声を張り上げて読経した。観音さまはじつに静かなお顔で、われわれの唱えるお経の声をじっと聴いておられる。一メートルという至近距離でご本尊と接することができて、親近感は増すばかりである。

バスツアーのメンバーも、毎回ほとんど同じ顔ぶれであった。最高年齢とおぼしき八十歳近くの方は、四回とも私の隣席であった。二回、三回とお会いしているうちに親しみがわいてくる。その後も、この方とはインターネットのメールでお付き合いをさせていただいている。この方はしばしばバスツアーを利用して、あちこちのお寺詣りをしているそうだ。健康のためのお寺めぐりといわれていたが、札所本尊に対しては実に真摯な態度でお祈りをささげておられた。

そういえばほとんどの方は、バスのなかでは陽気に振る舞っていたが、札所本尊には熱心にお祈りをしていた。特に女性の方が真剣である。観音めぐりは単なる観光旅行とは違う。息子の会社の経営がおもわしくなく経済的援助も閉ざされ、息子とその嫁から優しい言葉も掛けてもらえない、そんなご婦人からの嘆きを聞いたことがある。バスツアーのメンバーには嫁姑の問題で悩んでいるご婦人も多くおられたようだ。

お寺の方によれば、大観音寺でもお寺の主催で年に数回、地方霊場参拝の旅に出ているそうである。なお、境内には馬頭観世音菩薩、本願地蔵尊、韋駄天尊も祀られている。

第4番　諸宗山無縁寺　回向院（えこういん）

宗派　浄土宗
札所本尊　馬頭観世音菩薩

〒130-0026　東京都墨田区両国2-8-10　電話03・3634・7776

御詠歌●み仏の　慈悲の光に　照らされて　万人塚に　詣でくる人

居並ぶ千体地蔵尊をバックに阿弥陀如来

下総の国から隅田川を渡って武蔵野の国に向かう。二つの国を往来する。だからJRのその線を総武線といい、二つの国をまたいでいる駅なので両国駅という。両国駅のホームに立って北を見るとすぐ目の前に国技館があり、少し東に江戸東京博物館が建っている。どちらも大建造物である。改札口を出て、大通りに沿って南に二分くらい歩くと、突き当たりに京葉道路に面して山門があり、いつ訪ねても掃除の行きとどいた長い参道の正面奥に、近代的な三階建てのビルが建っている。回向院の本堂である。

この寺は正式には諸宗山無縁寺回向院という浄土宗のお寺である。山号、寺号、院号がこの寺のすべてを説明しきっている。ご本尊は、三尺四寸五分の蓮座に乗った六尺五分の金銅製の阿弥陀如来座像で、かつて露天の濡れ仏であったが、いまは近代的な大きくきれいな本堂内に安置されている。そして背後の段上に、千体地蔵尊が整然と並んでいる。

明暦三年（一六五七）正月十八日から十九日にかけて、本郷丸山の本妙寺から出た火が、江

本堂

戸城本丸、二の丸、三の丸をはじめとして大名・旗本屋敷五百家、寺社三百余、町数八百余りを焼き尽くした。江戸八百八町が丸焼けになる、世にいう「振り袖火事」である。市街の六割が焦土と化し、死者十万八千人に及んだ。江戸時代には火事は江戸の華といわれたが、歴史に残る大きな火事が三回あった。明暦の大火、明和九年（一七七二）の行人坂の大火、文化三年（一八〇六）の丙寅火事である。

「振り袖火事」から生まれたお寺

「振り袖火事」というのは大変不思議な火事であった。寺小姓に恋いこがれた娘が死んで、その娘の振り袖が本妙寺に納められる。本妙寺ではそれを古着屋に売る。買った家の娘が死ぬ。その振り袖がまた本妙寺に納められ、また古着屋に出され、買った娘がまた死ぬ。また寺に納められる。こんどは売りに出されず、施餓鬼会（せがきえ）のあとに焼いたところ、燃えた振り袖が空に舞い上がって本妙寺を燃やし、あっと思う間もなく江戸八百八町を焼き尽くしてしまった。

このとき将軍家綱を補佐していた保科正之は、将軍の代拝として芝・増上寺に参詣しての帰り、多くの焼死者を見た。保科は、町奉行に命じて、本所牛島新田に屍を一所に集め「万人塚」という墳墓を設け、増上寺二十三世の遵誉（じゅんよ）貴屋（きおく）上人に命じて、死者の冥福を祈念する大法要を行わせた。そのとき念仏の御堂として創建されたのが、この寺の起源である。

遵譽上人は無縁の人々の宗派がいろいろであることを考慮して、一宗一派にとらわれず、無縁回向（供養）をする寺という意味を込めて、この寺の山号、寺号、院号を決めたのである。

また、このとき江戸城本丸では天守閣が類焼して烏有（うゆう）に帰したが、保科正之は、天守閣は時代のニーズに合致しない無用の長物として、老中たちの反対意見を排し、家を失った町人に間口一間につき三両を給付、経済復興に力を注いだといわれている。

その後、回向院は延宝三年（一六七五）にご本尊が造られたが、元禄十六年（一七〇三）に寺が焼失し、その二年後の宝永二年（一七〇五）にご本尊が再び鋳られた。その後、安政二年（一八五五）の大地震には死者二万五千人の遺骨を、また大正十二年（一九二三）の関東大震災には遭難十万人の精霊の分骨をも合葬した。

家綱の昔から動物を慰霊

このお寺は、風水害、津波、海難事故死、水子、死刑囚まで、無縁や不幸な人々の遺骨を埋葬するばかりか、犬、猫、小鳥など動物の冥福

山門

もお祈りしている。それは四代将軍家綱の愛馬が死んだとき、家綱の命によってその亡骸をこの寺に葬り、二代の信誉上人が馬頭堂を建立して、自ら刻した獅子無畏馬頭観世音を安置したことに由来する。その後東京空襲によってすべてが烏有に帰したが、のちに本堂も建てられ、昭和三十七年（一九六二）に「家畜諸動物百万頭回向堂」が建造され、馬頭観世音を安置して動物の供養をしている。

　本堂から外に出ると高さ十メートルほどの六角形の家畜供養塔があり、その塔内に札所観音の馬頭観世音菩薩が奉安されている。一メートルほどの褐色の観音さまである。いつ訪れても観音さまの前には豪華な活花が生けられている。その周りはロッカーになっており、各家庭で愛玩された犬猫などの霊が祀られ、活花が架けられている。馬頭観世音菩薩は、頭のうえに馬頭をのせて、顔が一つで手が二本のものもあれば、顔三つで手が二本のものや顔が三面で手が六本か八本のものもある。観音さまはみんな優しく慈悲にみちた顔をしているが、一般に馬頭観音だけは明王のように怒りをこめた面貌をしている。そのため馬頭明王ともいわれる。

現在は農家でも馬を飼っている家は少ないが、江戸時代はもちろんのこと、昭和の二十年代までは田圃の耕作や運搬には、馬はなくてはならない動物で、また家族の一員のようであった。だから、その健康や安全を祈念したり、亡くなった馬の供養のために馬頭観世音菩薩が信仰されることが多く、農村には路傍に石の馬頭観音が立っていたり、堂内に祀られていた。馬は高い障害をも乗り越え、難しい願いも果たしてくれるし、迷いも強く断ち切ってくれる。お寺で奉安しているところは少なく、この三十三札所では回向院一か寺のみである。ここの馬頭観音はとても優しいお顔をしている。かわいい犬猫小鳥の霊を慰めるのであるから、怒りのお顔はできないのであろう。

鼠小僧次郎吉の墓もある

両国川開きに花火を揚げるようになったのは死者を慰霊するためで、回向院は創建されるとまもなく死者の供養ばかりか、生きている人々にも行楽を与えることになった。秘仏の帳を開いて仏さまと結縁する「開帳寺」として、全国の有名な秘蔵の仏像を百六十六件も開帳した。また、国技館ができる明治四十二年（一九〇九）まで、相撲の興行をしばしばこの寺の境内で行った。そのため両国といえば相撲の発祥の地とされ、力士の断髪した髻や亡くなった力士の分骨を埋葬した「力塚」も建てられた。

このように国技館が両国にあることも回向院と無縁ではない。開帳や相撲でこのあたりは浅草寺と同じように門前町が栄えて繁華街を形成した。その関係もあってこの付近には相撲部屋やちゃんこ鍋屋が多く存在している。バスツアー一行は参詣のあと、すぐ近くでちゃんこ鍋を頬張った。こんなところもバスツアーの楽しみというものであろう。

この寺には、義賊といわれた鼠小僧次郎吉の墓もある。ギャンブルにはこの墓の石を欠いて持っているとよいといわれ、ギャンブル好きな人がしばしば削って持っていくそうだ。私が参詣した日にも幾人かがその石を削っていた。

十六年ぶりの参詣である。本堂には浄土宗の紋を打った大きな屋根が設けられていた。

第5番　新高野山　大安楽寺（だいあんらくじ）

宗派　高野山真言宗・準別格本山
札所本尊　十一面観世音菩薩

〒103‐0001　東京都中央区日本橋小伝馬町3‐5　☎03・3661・4624

御詠歌●あなとうと　導きたまへ　観世音　花のうてなの　安らぎの寺

縁日の十八日にはご開帳

日本橋小伝馬町にある大安楽寺は都内の中心地にあり、地下鉄の駅から近いので参詣にはすごく便利である。山号を新高野山と号し、高野山真言宗に属する準別格本山である。高野山真言宗というと、総本山は高野山にある金剛峯寺のほか、名の通った寺院としては、明恵上人が華厳宗の寺として再興した高山寺、文覚上人が勧進再興した神護寺などがある。

門を入ると目の前に、間口一杯に広がる唐破風の向拝（こうはい）を持つ洋式の鉄筋コンクリートの建物が迫ってくる。向かって右手が庫裡である。本堂は外から眺めると三階建てに見える。だが堂内に入ると天井がとても高いので、すぐその建物が二階建てであることがわかる。

その堂内の中心には、ご本尊として弘法大師像が厨子のなかに奉安され、向かって左側に愛染明王、右に不動明王が安置されている。私は夏の真っ盛り、観音さまの縁日の十八日にお参りさせていただいた。その日は月に一回のご開帳の日にあたり、秘仏の札所本尊十一面観世音菩薩は、小さな厨子のなかに奉安されていた。

本堂

身の丈より大きな舟型光背を背負った、全長十八センチくらいの小ぶりなかわいい観音さまである。台座を入れても三十センチに満たない。あまりに小さくて、頭上の仏面を見落としてしまいそうである。しかし、かえってなんでも気楽にお願いできそうな観音さまである。そのほか堂内には大日如来、江戸八臂辨財天、出世大黒天、宝安稲荷大明神がお祀りされている。

バスツアーでの参拝のときは、本堂のなかに用意された椅子に腰をおろし、いつものように読経した。そのあとご住職から堂内のご説明、生命の大切さのご法話、このお寺の由緒についてお話しをいただいた。このお寺の由緒は特に感動的なので、次に述べよう。

大倉喜八郎と安田善次郎

明治時代の初めに高野山から東京に出てき

て、麻布市兵衛町の五大山不動院の住職になった山科俊海大僧正が、浅草に向かう道すがらこの辺りの土手を歩いていると、燐火が燃えるのを幾度も見たり、霊がさまよえるのを感じた。そこが小伝馬町の牢獄・刑場跡であり、そこで、その霊を慰めるためにこの地にお寺を建てたいと発願された山科大僧正が、ある日食事をしていると、すぐ隣で二人の青年が談笑をしている。聞くともなくその会話を聞いていると、日本の将来、その青年たちの進むべき針路や志を論じている。感動してその話を聴いていた山科大僧正は、矢も楯もたまらず二人のところに行って、寺を建てたい志を述べて協力をお願いした。山科大僧正の願いを静かに聴いていた二人の青年は、快く引き受けてくれたという。ふたりの青年の一人が大倉喜八郎で、もう一人が安田善次郎であった。

大倉は天保八年（一八三七）いまの新潟県新発田市で名主の子として生まれた。十八歳のとき江戸に出て鰹節屋の店員となり、三年後に独立したが、幕末の世相を読んで、ハイリスク・ハイリターンの鉄砲商に転じ、大きな利益を得た。その後も命を張って、亡くなるまで約三百もの系列会社を擁する大倉財閥を築いた。

一方、安田は天保九年（一八三八）富山藩の足軽の家に生まれた。十九歳のとき大反対する父母を説得して、江戸に出た。商家に奉公し、やがて両替屋として独立した。そして幕府に近づき、幕府が倒れると、明治政府から信用を得て、会社を発展させ、安田銀行を設立するなどして安田財閥を築いた。日比谷公会堂、東大の安田講堂などは安田の寄付によって建てられたものである。

この二人の風雲児が明治五年から勧進し、明

境内

治八年に一寺を建立した。そして寺ができたとき山科大僧正が、二人の名を採って大安楽寺と名付けたという説もあるが、実際には経典から名付けられたと、ご住職は淡々と話をされていた。大倉と安田の志の大きさもさることながら、山科大僧正の炯眼にも驚嘆した。

吉田松陰ら勤皇の志士もここで

ご住職の法話のあとお茶をいただいてから、この寺の境内を歩いていると、「江戸傳馬町牢御椓場跡」という一メートルほどの碑が建っていて、そのすぐ隣には山岡鉄舟筆による「為囚死群霊離苦得脱」と記された鋳物額がつけられた地蔵尊がある。この地蔵尊は江戸時代の刑死者と吉田松陰ほかの勤王の志士たちの慰霊と平和への祈願を合わせ、同時に、特に子どもの消息延命を祈って、日展審査員の横江嘉純氏が造られたものである。一メートルの台座のうえに円い光背を背にした濡れ座像だ。

小伝馬町といえば江戸時代、幕府の牢獄があった地として有名である。はじめは常磐橋外にあったが、慶長年間（一五九六〜一六一五）にこの小伝馬町に移され、明治八年市ヶ谷囚獄ができるまで、約二百七十年この地にあった。その期間入牢した者は十万人ともいわれている。牢屋敷の規模は大きく、旗本用の揚座敷、御家人・藩士・僧侶用の揚屋、百姓牢、女牢など身分によって分けられ、二千五百坪以上もあったという。三方土手を築いたうえに高い塀をこしらえ、その外には堀が巡らされていた。

役人は同心が七十八人、獄丁が四十六人もいたというから、かなり大きな牢屋敷であった。入牢者が最も多かったのは幕末期で、千人近くもこの牢に入っていたそうだ。そのなかには、安政の大獄で入牢しこの牢で斬首された、吉田松陰、橋本左内、頼美樹三郎ら勤王の志士たちが含まれている。

現在は、その牢獄・刑場跡のゆえに創建された大安楽寺のほかに、中央区立十思公園、身延別院がある。かつてはその地が、大安楽寺の寺域であったという。このあたり一帯は、江戸傳馬町牢御椓場跡として昭和二十九年に都史跡に指定されている。

十思公園には江戸時代の鐘がある。『江戸名所図会』によると、その当時江戸の鐘は、石町（こくちょう）(後の本石町）上野、浅草、本所、市ヶ谷、目白、赤坂、芝、四谷などにあって、日常生活の節目の音として親しまれていた。この十思公園の鐘は、お江戸日本橋七ツ立ちの刻を知らせる鐘で、石町にあったものを、昭和五年にこの地に移したという。

この寺は関東大震災のとき火難にあった。昭和四年に再建されたときに寺域を縮小し、現在の規模になり、第二次世界大戦には幸運にも戦火を逃れて現在にいたっているそうだ。東京のど真ん中の日本橋で、米軍のB29の爆撃に遭わなかったというのは信じられないことである。

お寺めぐりをしていると、民家が付近にないのにB29の空襲に遭っている寺がある一方、都心でも戦災に遭わなかった寺院があり、不思議である。戦火に遭わなかった大安楽寺の本堂は、いまはレトロな建物になったが、当時としてはかなり近代的なビルであったのだろう。

レトロな建物と十思公園の風景は十六年前と変わっていないが、道路を挟んだ門前の十思公園の一画に参詣に便利な駅のエレベーターが設置されたいた。

第6番　東叡山　清水観音堂（きよみずかんのんどう）

宗派　天台宗
札所本尊　千手観世音菩薩

〒110-0007　東京都台東区上野公園1-29　☎03・3821・4749

御詠歌●松風や　音羽の滝は　清水の　むすぶ心は　涼しかるらん

京都・清水寺と同じ舞台造り

上野の山は江戸城の鬼門にあたるため、その鎮護として天海大僧正によって、寛永八年（一六三一）に天台宗の東叡山寛永寺が創建された。その広さは三十六万坪といわれ、後に桜の木が植えられ、また多くの堂塔が建てられた。しかし、建造物のほとんどが、上野の戦いともいわれる幕末の彰義隊と官軍の戦いで烏有に帰して、わずか数えるほどしか残っておらず、昔の姿を一変させてしまった。

上野公園内にある西郷さんの銅像から街と反対方向を眺めると、百メートルほど向こうに清水観音堂の本瓦葺き単層入母屋造りの側面が見える。間口五間、奥行き四間の壁面朱塗りの建物で、晴れた日には青い空を背景としてよく似合う。この清水観音堂は、側面や後方からだとこの堂が舞台造りに造られているとはよくわからない。冬の枯れ木のときに、石段をおりて振り返り、見上げると、懸崖造りの舞台であることがよくわかる。また清水観音堂の正面は不忍池であるが、上野の杜の深いみどりにさえぎられて見ることができない。いささか残念に思わ

本堂側面

れるが、自然を大切に扱わねばならず、やむをえないことである。
清水観音堂で発行している案内書やその他の伝えによると、清水観音堂は京都五条坂にある清水寺の義乗院春海上人が、清水寺に安置していた千手観世音菩薩を天海大僧正に献じ、初めは東京文化会館裏にある最も高い前方後円墳跡地の擂鉢山（すりばち）に創建されたが、寛永寺総本堂の根本中堂が、噴水広場の地に建設されることに決まると、元禄七年（一六九四）九月に現在地に移されたという。

平盛久の身代わり観音

京都清水寺から遷座されたご本尊千手観世音菩薩は秘仏で、長門本の『平家物語』の「盛久受難の身代わり観音」として知られている。平家滅亡のあと京都に隠れていた主馬判官平盛（たいらのもり）

久は、護持仏の千手観世音菩薩を清水寺の脇尊として奉納し、千日参詣の願をかけていたところ、源氏の武将に捕らえられて鎌倉に連行され、由比ヶ浜で文治二年（一一八六）斬首されることになった。

ところが盛久の首めがけて振り下ろされた刀は、なんと不思議にも折れ砕け、また北条政子の夢にも清水寺の高僧が現れ盛久の赦免を願ったので、驚いた頼朝はただちに盛久を赦したのである。京都にもどった盛久がすぐに清水寺に参詣すると、盛久が奉納した観音像が打ち首のそのときに倒れ、腕が損傷したと寺の僧から聞かされ、その奇瑞と霊験のあらたかさに盛久が感涙したという物語である。

「或遭王難苦　臨刑欲寿終　念彼観音力　刀尋段段壊」（あるいはとんでもない辛い苦しみに遭い、刑場で命が終わりになろうとも、観音力を念じれば、かならず刀は段々と壊れてしまうだろう）『観音経』の偈文の一節である。盛久の祈念が通じたのである。

この奇瑞は午の年、午の日、午の刻に起きたことから、清水観音堂では、年に一度、二月最初の午の日にご本尊開帳を行っている。平成十六年は、二月九日（月）で、ご開帳は午前七時から午後五時まで、また法要は午前十時と午後二時に行われた。何人かの老女が本堂前の舞台でお百度を踏んでいた。私も法要に出席させていただいた。法要のあと百人近くの参詣者が列をつくり、厨子に収められているかわいらしい千手観音さまに掌を合わせていたが、なかなか皆さん去りがたく、その列は一向に進まなかった。

人形供養の寺としても有名

ご本尊は比叡山の高僧恵心僧都の作と伝えら

本堂

れ、合掌した手と禅定印を結ぶ手を含めて計四十二本の手がある。小さな手の一本一本が二十五有の生きとし生けるものすべてに、慈悲の手をさしのべる姿を現しているので、大悲観音ともいわれている。恵心僧都は名を源信といい、名利（みょうり）を嫌って比叡山横川（よかわ）に隠棲し、極楽浄土に生まれるにはなにが大切なのかを詳細に論じた『往生要集』を書いた名僧である。

また堂内にはご本尊の向かって左手に、脇本尊として運慶派の作と推定される聖観音の立像があり、向かって右手奥の宮殿には子育て観音が安置され、数多い人形に埋まっている。子宝に恵まれない人々が「子宝が授かりますように」と祈り、恵まれるとその子が健康に育つようにと、身代わりの人形を奉納する。願い事を聞き届けてくださったお礼である。毎年秋の彼岸の九月二十五日には、これらの人形や古い人形をお焚きあげする大法要が営まれ、大勢の人々で賑わいを見せる。かつては万を超える人形がお焚き上げされたが、現在は環境問題などがあってその数がかなり減ったと聞いている。

平成十五年のその日は一日曇り空で、法要の最中に雨がパラパラと降っては止んでいた。本堂すぐわきの人形供養碑の周りに人形がたくさん並べられ、その前に設営されたテントのなかで、寛永寺住職の読経によって人形供養が行われた。そのあと堂の脇の百坪くらいの広場にロープが張りめぐらされ、中央に置かれた焼却炉のなかに人形が入れられて、読経の続くなかお焚き上げが行われた。二百人くらいの拝観者の一割ほどが外国人で、熱心にビデオやデジカメにその光景を納めていた。

江戸の建築美を今に伝えて

人形供養碑のすぐ近くに「秋色桜（しゅうしきざくら）」なる枝垂桜の木があり、そのそばに「井戸はたの　桜あふなし　酒の酔」と刻された石碑と古井戸がある。元禄のころ日本橋小網町の菓子屋の娘お秋が十三歳のとき、酔った客をみてこの句を作って短冊にして桜の枝に結んでいたところ、寛永寺の門主がたまたまそれを見て、句も筆もさるものであるとほめたので評判になった。お秋は成長して俳人となり、菊后亭秋色と号し、この桜が「秋色桜」と名付けられたという。

なお清水観音堂の建物は、広重の『江戸百景』にもあり、また『江戸名所図会』にも「清水堂花見図」として描かれている。『図会』には、堂の回廊から着飾った二十人ほどの男女が弁天島のほうを眺め、また堂の階段や石段の辺りには十数人の人々がのんびりと歩いている。いかにも花見風景であるが、現在と異なり、前方に大樹がないので、楽に弁天島が見えるほど視界が広くて風光が明るい。

　江戸の初めに建てられた清水観音堂の建造物は、安政の大地震、上野の戦い、関東大震災も、また米軍の空襲からも逃れて、江戸時代の建築の美と術と姿を後世に伝えて、重文建造物に指定されている。ちなみに、この堂のすぐ裏手の木立の中に天海の毛髪塔がある。天海が生前居住していた本覚院の跡地である。天海の毛髪塔と西郷隆盛像の中間には彰義隊の墓地もあり、清水観音堂の周囲は史跡の宝庫でもある。

　なお、人形供養は、令和元年も九月二十五日午後二時から清水谷観音堂で行われた。

第7番 柳井堂 心城院（しんじょういん）

宗派　天台宗
札所本尊　十一面観世音菩薩

〒113-0034　東京都文京区湯島3-32-4　☎03・3831・1350

御詠歌●柳井の　水清くして　白梅の　香りかぐわし　湯島のみほとけ

「江戸の三富」とうたわれた湯島の聖天（しょうでん）さま心城院は、湯島天神として名高い湯島神社の急な石段である男坂のすぐ下にある。合掌させていただいた札所本尊の十一面観世音菩薩は、慈覚大師円仁作と伝えられて、一尺あまりの小さな観音さまであった。

本堂は、「心城院」と金文字に刻された扁額の両脇に下がった赤い提灯が等間隔に並んでおり、小さな観音さまともども、いかにも下町のお寺といった風情にあふれている。

お寺の本堂は近年に改修されたが、開基以来幾度となく発生した江戸の大火、関東大震災や第二次大戦の米軍による空襲の戦火にも遭うことなく、今に至っている。これは大変珍しいことである。とりわけ湯島という都心にあってはなおさらである。

バスツアーでの参詣では、メンバーのおよそ三十人全員が本堂内に入ることはできず、堂内外に分かれて読経したが、とても親しみのわくお寺であった。

このお寺の入口の外壁に、「湯島聖天」と題して寺の縁起を大変わかりやすく説明したパネ

本堂

ルが掲げられている。このお寺は、もとは宝珠弁財天堂と称して、かつては湯島天満宮の境内にあった。湯島天満宮は菅原道真を祭神としているが、道真はとくに聖天（大聖歓喜自在天）の信仰が篤く、そのために「天満大自在天神」ともいわれていた。

ときに元禄七年（一六九四）、湯島天神の別当職にあった天台宗の喜見院三世の宥海が、道真と因縁浅からざる大聖歓喜天を奉安し開いたのがこのお寺の始めである。ご本尊は慈覚大師の作で、比叡山から勧請したと伝えられている。以来、このお寺は湯島の聖天さまとして熱心な信者の参詣があり、紀伊国屋文左衛門もこのお寺に帰依した一人であった。

江戸時代、享保（一七一六〜一七三六）のころ幕府の財政事情が悪化したため、幕府が扶助してきた神社仏閣への支出を削減しようと、富くじを発行した。江戸では谷中感応寺、目黒瀧泉寺とならんで、湯島喜見院で公認の富くじが行われ、江戸の「三富」といわれた。その後には江戸各所で行われるようになった。

その当時の喜見院は相当の境域があったようだが、明治維新の神仏分離と排仏の嵐によって往時の様相は一変し、寺名も柳井堂心城院と改めて今日に至っている。

三百年の昔から参詣者が絶えない

このお寺は、江戸名水の一つに数えられる「柳の井戸」があることから、柳井堂と称された。これについて徳川時代の文献には次のように記されている。

柳の井（江戸砂子　御府内備考）

この井は名水にして女の髪を洗えば如何ようにに結ばれた髪も、はらはらほぐれ、垢落ちる。気晴れて、風新柳の髪をけづると云う心にて、柳の井と名付けたり。

この名水は、大震災のとき唯一の水として、湯島天神境内に避難した多数の羅災者の生命を守ったため、当時の東京市長からこの寺は感謝状を受けた。また、境内の弁財天放生池は、元禄の昔から病気平癒などの祈願がかなうとされて縁起のよい亀を放している。今も「亀の子寺」として親しまれ、三百年の昔から信仰の篤い参詣者が絶えない。

また、この寺は、『江戸砂子』に「実盛の墳湯嶋の下。藤枝帯刀殿やしきの内にあり。往古の事にて分明ならずといへども、これを見かれをもって、いひつたへたる所を考ふるに、いかさま此辺の事ならんか」と、斎藤別当実盛の庭の池と伝えられている。

それを証明するかのように、心城院と同じ湯島三丁目で、すぐ近くに実盛坂という石段の急な坂道がある。その坂下には斎藤別当実盛の首塚があったといわれ、その塚をあばいた人は祟りを受けて死ぬと伝えられている。

説明パネルに記された髪のことについては、江戸中期のころに書かれた『紫の一本』という本のなかに、「柳の井」として次のように記されている。

柳の井

「湯島天神の下、東へ下る石壇の坂の下にあり。この石壇の坂、太田道灌の時代は天神の表門なりとぞ。いまは裏門のよしなり。この井は名水にて、女の髪洗へば、むすぼまれたる髪のいか程の薬にてもとけざるも、はらはらとほぐれ垢よく落つるとて、『気晴れては風新柳の髪梳る』と云う心にて、柳の井と名付けたるとぞ」

「東へ下る石壇」とは天神の東側にあった門のことで男坂のことをいい、太田道灌の時代には天神の表門であったことがよくわかる。

日々の生活のなかに根付く祈り

心城院では札所本尊の十一面観音菩薩の他に、大聖歓喜天、宝珠弁財天、出世大黒天が安置されている。十一面観音と大黒天は、無病、諸病平癒、福徳開運、進学学業成就のご利益があり、大聖歓喜天は夫婦和合、除災の、そして弁財天は智慧と福徳のご利益があるそうである。

仏というと厳格には、悟りを開いた釈迦如来、阿弥陀如来、薬師如来などの如来だけをいう。だが一般的には、如来の他に次の三種類も仏（像）といわれている。つまり、仏を目指して修行する観音菩薩、地蔵菩薩、文殊菩薩のような菩薩。不動明王、愛染明王、孔雀明王のような怒りの相をして仏法を守護する明王。そして毘沙門天、帝釈天、大黒天、聖天のような、超人的な能力をもっている天。明王と天はインドの神が仏教に取り入れられて、わが国では神仏となって信仰されるようになったのである。

如来、菩薩、明王、天、いずれも人間の顔をしているが、聖天（歓喜天、大聖歓喜天）だけは人間の躰に象の頭を持っている。そして、男仏と女仏が抱き合っている。女仏は観音さまの化身であり、聖天の男仏の欲望を慈悲から満たしているといわれている。その姿を信仰すればあらゆる障害を取り除いて富裕になれる、また夫婦和合、子が授かるとして深く信仰されている。

江戸幕府は、キリシタンは厳しく取り締まって禁止したが、観音、地蔵、不動、聖天、弁天など庶民が生活のうえで信仰する寺は、取り締まることはせず、自由にさせていた。その伝統・歴史が、下町の小さな寺の周囲の人々に根付いてきた。別に改まって身を整えたり、着飾って寺院を参詣する必要もなく、学校や銭湯、買い物の行き帰りなどに、境内を横切ったそのつど、頭を下げたり真剣に祈ったりしている。もはや祈りは日々の生活の一部になっている。そして、わが町の観音さま、聖天さん、大黒さん、弁天さんと、そのときそのときの願いによって、人々は祈りに励むのである。心城院などはその典型的なお寺といえよう。

「はじめに」のなかに、小さなお寺もあって、バラエティに富んでいると記したが、まさにこのお寺がその例である。それはお寺の住職の資質によるものでもあろう。

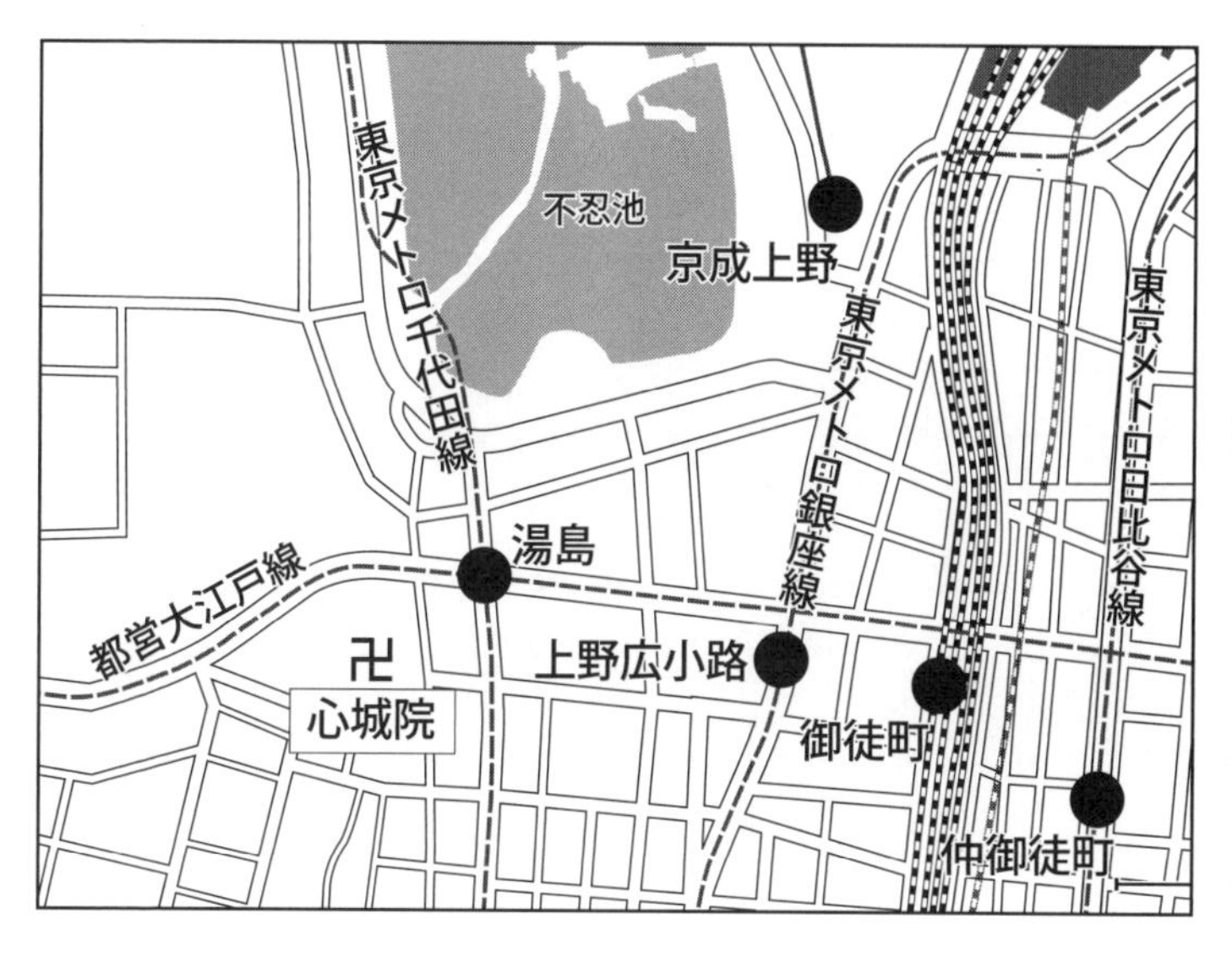

第8番　東梅山　清林寺（せいりんじ）

宗派　浄土宗
札所本尊　聖観世音菩薩

〒113-0023　東京都文京区向丘2-35-3　☎03・3821・2581

御詠歌●安楽の　往生願い　観音に　十声（とえ）となうれば　かないぬる

古くからあった観音信仰

清林寺は浄土宗鎮西派に属して、正確には東梅山花陽院清林寺という。近くには九番の定泉寺、十番浄心寺、十一番圓乗寺、二十三番大圓寺と江戸三十三観音札所寺院がかたまってあり、二時間もあれば清林寺を含めてこの五か寺をゆっくりとめぐることができる。

このお寺は、外から札所本尊の聖観世音菩薩像がお参りできるように、書院隣りに設けられた安置所に奉安されている。その観音さまは、左手につぼみの蓮の花を持ち、右手は開いて蓮のつぼみの近くに寄せ、衣服の上に天女のように両肩から裳をたらし、頭部の後方に光背をおいている。標準的な聖観世音菩薩像である。仏さまが手にしている持物（じもつ）はその仏さまのご利益を象徴している。蓮は泥のなかでも泥に染まらず、とても美しい花を咲かせている。だから聖観世音菩薩が持っている蓮は、煩悩にも染まらない悟りの智慧を象徴しているのである。

境内にある水屋の水鉢に元禄九年聖観音と刻まれている。また、享保二十年（一七三五）の『江戸砂子拾遺』には、江戸三十三所観音に浅

本堂

草寺、伝通院、増上寺などと並び、「近世江戸三十三ヶ所観音巡礼」にも浅草寺、護国寺、回向院などとともに、つねに江戸三十三ヶ所観音札所の一つにされていることからも、清林寺の観音信仰は昔からあったことがよく伺われる。

家康から松竹梅の鉢植えを拝領

いただいた縁起によると、室町時代の中頃の文明十五年（一四八三）に、武蔵国の豊島郡神田三河町四軒町に寺領一〇八〇坪を拝領し、観譽祐崇（ゆうそう）上人によって始められたという。祐崇上人は応永三十四年（一四二七）生まれで、十三歳のとき鎌倉の光明寺七世の慶順のもとで剃髪受戒し、研鑽を重ねて木更津や京都の無住の寺を復興させ、やがて光明寺八世になり、その翌年に江戸で清林寺を創建したそうである。その後八十八歳で遷化されるまで、積極的に教線の拡張に努め、各地に寺院を創建して、なんと生涯、三十有余のお寺を造ったといわれている。この上人で忘れてならないのは、鎌倉の光明寺で初めてお十夜（じゅうや）という念仏行事を行い、そのお十夜念仏を各地に広めたことである。

お十夜法要は、「この期間、十日十夜、善をすれば、仏の国において千歳善を積むに勝る」という浄土宗の根本教典によった大法要である。善とは念仏である。清林寺でも祐崇上人の遺志を受け継いで、大玉の大数珠を大勢で輪になりお念仏を唱え、阿弥陀さまと観音さまに感謝するお十夜の行事を毎年十月に行い、年々盛んになってきているようである。鎌倉の光明寺のお十夜法要の模様は、第二十七番道往寺のところで述べたいと思う。

さてその後の清林寺は、太田道灌が主君上杉定正に謀殺されて以来ほとんど明らかでなかったが、天正十八年（一五九〇）徳川家康が関東に入ったとき、光譽天歴上人が家康にお祝いを述べにいったところ、家康から松竹梅の鉢植えを一鉢ずつ拝受した。その松竹梅を、天下栄えの松、万年の竹、相生の東梅と称したことから、寺号を東梅山花陽院清林寺と命名し、寺紋も梅鉢にしたという。

お寺は、慶長十八年（一六一三）に神田三河町から神田川柳町に、また慶安元年（一六四八）に現在地に移り、以前と同じように一〇八〇坪を拝領したという。その後天保十三年（一八四二）に他からの類焼により、また昭和二十年の東京大空襲によってすべてを焼失し、昭和三十三年に現在の本堂が完成したのである。

新しい形の布教

清林寺は毎年秋十月に有楽町の読売ホールで

聖観世音菩薩

講演会を開いている。講演会と銘打っているが、単なる講演会というものではない。とても大々的な催しで、いわば仏教布教会というほうが適しているように思える、楽しい集いである。まず品のある雅楽の演奏で幕が上がり、引き続いて十人ほどの僧侶の方が読経しながら、お釈迦さまと法然上人の教えを、光と陰をもって再現する。すごく厳粛な演奏である。

そのあと各界でご活躍の講師からお話しをいただく。私は平成十五年秋の講演会に出席させていただいた。参加者は、年輩の方が多く、半数以上がご婦人方であった。あまり宗教色はなく、普通の文化講演会の雰囲気が会場に流れていた。大ホールは満席であった。そしてどの人も満ち足りた表情で、途中、席を立たれる人は全くと言っていいほどいなかった。その日の講師は、俳優の榎木孝明さんで、絵画にまつわる人生観を、ユーモアをまじえて大変楽しくお話しされていた。講演会が終わると、榎木さんのサイン会があるとかで、そちらに行かれる方が多くおられた。

私は帰りの電車のなかで、講演会にあれだけ多くの人々を惹きつける魅力とは一体何なのかを考えさせられた。多くの方の協力を得たにせよ、一か寺主催の講演会であのように大成功を収めることは大変なことである。榎木さんのキャラクターが参加者を増やしたこともあるだろう。しかし、ご住職の発想と積極性に負うところが大であることは間違いあるまい。と同時に多くの人々が、新しい仏教を求めている証拠でもあるように私には思えた。

ゆっくりと建設されている三重塔

このお寺の書院の脇に建設中の三重塔は、昭和五十二年に起工されたが、いまだに完成していない。ゆっくりゆっくり建設されている。高さ二十四メールのこの三重塔は、東京では初めての飛鳥時代様式の木造の塔で、わが国に二人しかいない木挽の職人さんの手によって製材され、大工職人さんによって組み上げられている。発起人はご住職の難波光定さんで、賛同人に南無の会会長の松原泰道さん、曹洞宗愛知尼僧堂堂長の青山俊董さん、その他宗派を超えて、多くの名のある方が名を連ねている。

この寺でいただいた「清林寺案内図」の裏面に、「観音巡礼の皆様方へ」という一文がある。最後にそれを記しておきたい。

「観音さまの巡礼は、一回は父親のため、一回は母親のため、さらに一回は自分のために、お参りすると言われています。そして昔から『ご朱印』と言われてきたのは、本来はお参りする観音さまのご本尊を自分で調べて、ご朱印帳にまず自分自身で『聖観音菩薩』とか『十一面観音菩薩』などと書いて、札所のお寺に差し出します。そこでお寺ではそのご朱印帳に『朱印』を押し、日付を記入してお返し致します。巡礼には様々なお参りの仕方があるかも知れませんが、古来から言い伝えられた観音巡礼の本来のお参りの仕方はこのように言われています」

正式にはそういうものなのであろう。とても参考になった。

文中盛大な講演会について記しているが、現在は行われていないそうである。

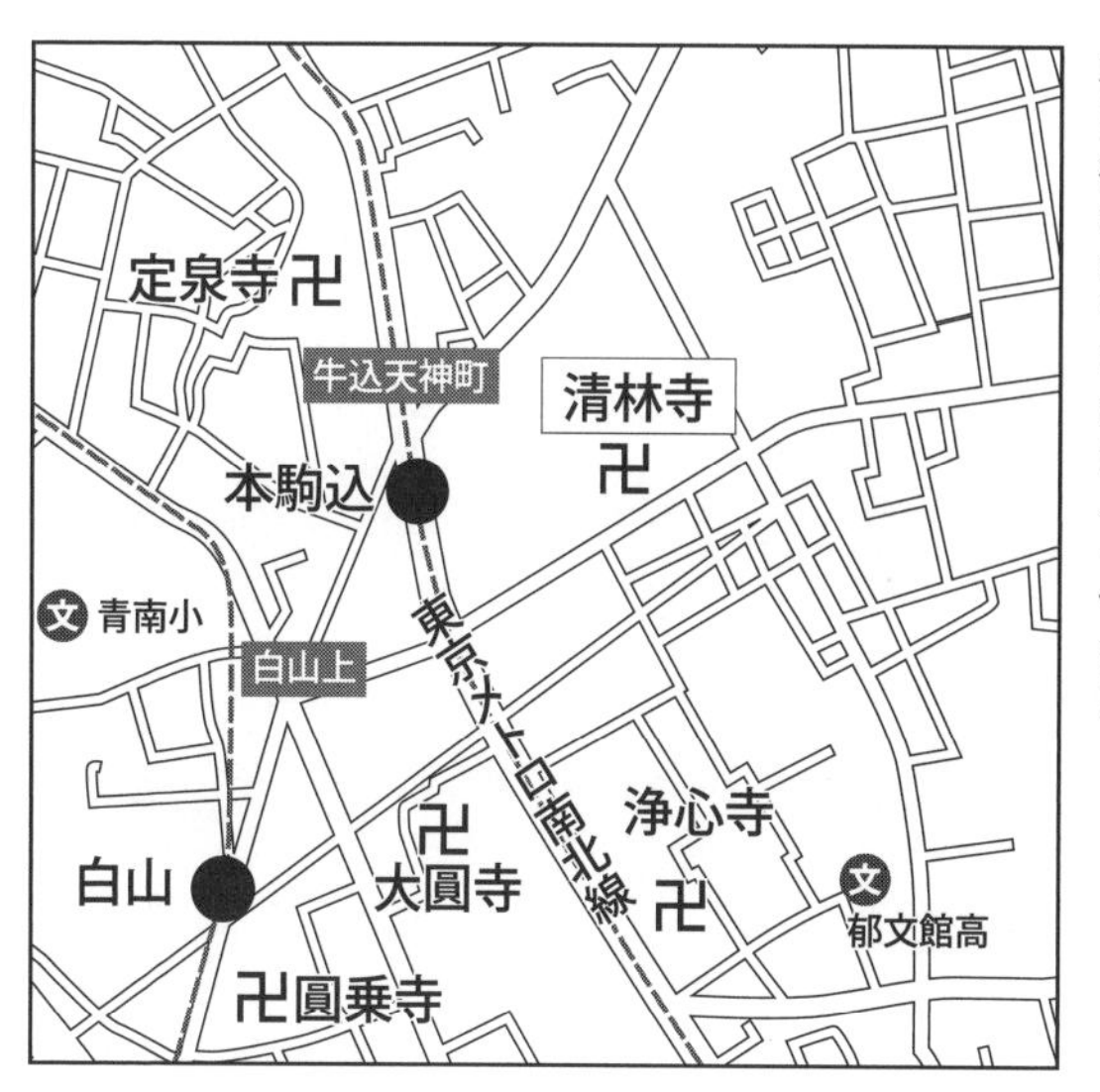

第9番　東光山　定泉寺（じょうせんじ）

宗派　浄土宗
札所本尊　十一面観世音菩薩

〒113-0021　東京都文京区本駒込1-7-12　☎03・3941・7063

御詠歌●春の日は　東光山に　かがやきて　駒込の里に　晴るるうす雲

もともとは「矢場の定泉寺」

山号を東光山、院号を見性院と号する定泉寺は、地下鉄南北線「本駒込」駅の二番出口から道をへだててすぐ前にある浄土宗の寺である。寺伝によると江戸時代の元和七年（一六二一）、旗本の蜂屋右衛門善遠が、本郷御弓町にあった太田道灌の矢場跡を拝領し、増上寺の定誉随波上人を開山として、その地に堂宇を建てたのが始まりである。矢場跡であったため、この寺は長く、矢場の定泉寺といわれていた。

ところが明暦の大火にあったために、本郷御弓町からこの本駒込の地に移転して、それ以来現在に至っている。移転してきたその当時は、本堂、庫裡、山門、鐘楼等々が建てられ、そのなかでもとりわけ鐘は、江戸の丹波守藤原重正の名作といわれ、夜明けを破って月光にほえる鐘の響きは、駒込の名鐘のひとつに数えられていたといわれている。

この寺は浄土宗であるから、ご本尊は阿弥陀如来である。札所本尊の十一面観世音菩薩は、本堂内の向かって右手に奉安されている。『江戸砂子』によると、「聖観音　東光山定泉寺

本堂

知恩末　江戸三十三所九番　同所」と、札所の観音さまは聖観世音菩薩であったと記されていたが、『全国寺院名鑑』によると昭和二十年の戦火に遭って堂宇が全焼してしまったので、伊勢鈴鹿市白子町の悟真寺に脇仏として安置してあった十一面観世音菩薩像を、昭和二十五年に勧進して祭祀したものであるという。その後このお寺が昭和新撰として再び第九番に定まったのである。

蓮華座の台座の上の十一面観世音菩薩は、身の丈をはるかに超えた舟形光背を背にして、左手に蓮華を胸の上に持ち、右手を開き下方に下げて、与願印という印を結んでおられる。わりと目鼻立ちがはっきりしている。いささか肉感的なお姿である。

心がなごむ印象深いお寺

バスツアーでは、その日の四番目に参詣した。ちょうど喉を潤したいと思ったとき、お寺の庫裡で大勢の参拝者にお茶が振る舞われた。みんなお茶のまわりに次々に集まり、おいしそうに喫していたのが、私の印象に強く残っている。江戸三十三観音札所の第二十四番の梅窓院で発行している寺報『青山』(第八号、二〇〇二年春彼岸号)に、「札所巡りをしていて一番うれしいのは『おつかれさま』のあったかい一言。心がなごむ印象深いお寺でした」と、江戸三十三観音札所めぐりで、定泉寺を記事にされていた。

私はバスツアーで親鸞旧跡を訪ねたことがある。暑い昼下がり茨城県の水海道にある古寺で、定泉寺と同じようにお茶を振る舞われたことがあった。「このような接待に遇うと、ほんとうに身にしみるのよね」ある婦人が両手で茶碗を持ちながら、一人ごちていたのがとても印象的であった。寺めぐりをしていると、そのお寺の個性がにじみ出て、ちょっとしたことで信仰を深めるのにとても役立つことがある。

現代の宗教の悲劇とは、誰も宗教に何も期待しないことではないだろうか。現在は深川・正覚院へ会場を移しているが、この定泉寺では、原則として毎月第四木曜日午後一時半から四時半まで、「いのちを見つめる集い」(仏教ホスピスの会)を開いていた。会費五百円で、そのとき招いた講師の法話がもたれ、そのあと一休みして質疑応答がある。病む人、健康な人の別なく、ともに生老病死を語って見つめ直すことを積極的に行っている。とても有意義な会である。

本堂内（中央に阿弥陀如来、向かって右手側に十一面観世音菩薩）

「いのちを見つめる集い」で聞いた御詠歌

私は定泉寺で行われている、百十一回目の「いのちを見つめる集い」に出席させていただいた。新しく完成した会館の二階に約五十人の人が見えていた。坊さんになりたくてなりたくて、在家から僧侶になったと自己紹介した方の司会で、その会は始まった。参加者の多くは年輩者であった。初めて見えたというご婦人、静岡県からやってきたという僧侶の方、サラリーマンを定年でやめた方、質問も感想もさまざまであった。

その日の法話は、「生かされて　ありがたや」というタイトルで、高野山真言宗の永代寺副住職の前田友義さんが一時間にわたり話された。本厄や後厄について軽く話されたあと、「人間は生かされているので、すべてに感謝して生きていくのがよいのでしょう」というお話であった。前田さんのご専門は御詠歌であり、何首か哀愁に満ちたお声で詠じてくださった。私は多くのツアーに参加しているが、御詠歌を詠じた先達さんにお会いしたことはない。

第六十五代の花山天皇が出家され、西国巡礼をしたとき短歌を一首木札に書いたのが、納札と御詠歌の初めといわれており、それらの歌は深い意味を持っているようである。定泉寺の御詠歌は、直接、観音、仏、慈悲を表す言葉はないが、「陽気のよい春の日は、駒込の定泉寺に薄雲がなびいて、返って蒼(あお)さが際だち、光輝いている観音さまの温かさが身にしみて、本当に有り難くおのずと合掌したくなります」。そんな情景と心象を表す御詠歌であろうと、私は自分なりに解釈している。

境内で見つけた珍しいもの

ある日、高校の同窓会世話役会に出席したときの話である。本願寺築地別院で発行している、毎日行われている法話のスケジュール表をたまたま持っていたため、出席者八名の過半の友人が興味をいだき、質問攻めにあった。「築地本願寺で法話が開かれているのか」「機会があったらぜひ行ってみたい」と並々ならぬ関心が集まった。友人たちの住まいの近くにも法話をしている寺院があるはずだと教えたが、今まで四十年近くも会社人間、企業戦士であった友人のほとんどは、知らないようであった。また、知っていて行きたい人がいても、恥ずかしくまた照れくさくてなかなか行けないようである。特に、定年退職後に行くところがなくて困っている人は大勢いる。寺のほうでもいまひとつ知恵を絞って、参加希望予備軍に働きかけてもらいたいものである。

定泉寺の境内には、六面に阿弥陀仏の姿が浮き彫りに刻された府内随一の宝篋印塔と、江戸時代作の五重の層塔がある。また、本堂裏手の墓地には、中興開山登誉見道上人の家型墓石があり、その中に内仏として観音さまが座っておられる。珍しいことである。墓地のなかには、唐破風を乗せ、墓表に地蔵尊を刻した墓石がある。姫路十五万石の藩主酒井忠明の二女初姫が三歳で亡くなったので、その霊を慰めるために建てられたものという。なお山門内のすぐ左手に夢現地蔵堂があり、その花立には弓の絵柄が彫り込んであり、矢場の定泉寺といわれた名残を留めている。

第10番　湯嶹山　浄心寺（じょうしんじ）

宗派　浄土宗
札所本尊　十一面観世音菩薩

〒113-0023　東京都文京区向丘2-17-4　☎03・3821・0951（代）

御詠歌●たのめただ　枯れたる木にも　自から　実りの花や　さくら観世音

桜と縁が深いカラフルなお寺

本郷通りに面した浄心寺の入口には、色彩ゆたかな大きな布袋さんが、白い大きなお腹をかかえ本当に大声をだしているように、さも愉快そうに笑って参詣者を迎えてくれる。八番の清林寺、九番の定泉寺、二十三番大圓寺からも徒歩でわずかに五分の距離である。また、十一番の圓乗寺にはこのお寺から十分くらいで行くことができる。

山号を湯嶹山（とうとう）、院号を常光院と号する浄心寺は、浄土宗の寺である。その入口から本堂までおよそ五十メートルもあろうか、桜の樹木が植えられ、その下に多くの石仏が並び、花のころはとてもとても見事で、参詣者をうっとりと楽しませてくれる。そのこともあるのか、この寺の御詠歌にも「ただひたすら観音さまにお願いしたら、いいのではないでしょうか。救われないと思っていても、枯れた木にも自然に美しい花が咲くように、必ずさくら観音さまは、救ってくださるものですよ」と、桜が詠われている。

また札所本尊の観音さまは「子育て桜観音」ともいわれる。桜と関係が深い、何ともカラフル

本堂

な感じのするお寺である。

参道を歩いていくと本堂前に小さな鐘がぶら下がっている。そしてその脇に「この鐘は中曽根康弘さまより頂いたもの　ご希望の方は一つ鳴らして下さい」と書かれた木札が下がっている。そばに撞木（しゅもく）があったので、私は遠慮なく軽く一つ突かせてもらった。いやはやなんとも澄んだ音色が蒼空に響き渡り、余韻がいつまでもいつまでもわが心のなかかと、鐘のなかに残っている。あたりを何気なく見回すと、花を付けた紅梅の枝がかすかな香りを放って、本堂に登っていく二十数段の石段の上に延びている。桜の季節も見事であるが、無人の二月の梅の季節も捨てたものではない。

増上寺の末寺で、慶長八年の創建

階段上の本堂回廊の正面には直径二メートル

もあろうか、とてつもなく大きな赤提灯がぶら下がっている。しげしげと提灯をながめながら下界を見下ろすと、本堂前左右の広い墓地には墓石が、立錐の余地なく立っている。また入口の隣には、本郷通りに面してガソリンスタンドがあり、車の出入りとともに何人かの若者がテキパキと働いている。

いただいた縁起その他によると、浄心寺は増上寺の末寺で、元和二年(一六一三)の創建といわれ、開山は到譽上人で開基は畔柳助九郎という人であるという。このお寺は、七代のときまでは神田明神の裏手の妻恋坂にあったそうで、八百屋お七の振り袖火事と知られる江戸の大火によって焼失し、今の向丘の地に移ってきたという。当時、この地はお花畑で春日局が信仰していた地蔵堂もあり、敷地も広々としていて、長元寺、正行寺、西善寺、法真寺の墓地にも使用されており、神田明神宮司の木村家の墓所もあったそうだ。

文京区は寺が多いことで知られており、楽に百か寺を超えている。そしてそのほぼ半数が浄土宗系の寺院である。またその大部分が江戸時代に建てられたもので、そのうちの三割が明暦の大火のあとに江戸の中心地から移転してきたという。当時この辺りは江戸の郊外であった。

江戸三十三観音札所も港区の九か寺についで、文京区は八か寺と多い。ちなみに三か寺が新宿区と品川区と台東区で、二か寺が中央区である。一か寺しかない区は墨田、豊島、中野、杉並、世田谷、目黒の六つの区であり、その他の区には一か寺もない。この札所のない区を除いていくと、江戸三十三観音札所が案外まとまっているように思えてくる。

順打ちすると日数がかかるが、区域ごとにめ

山門からの境内

ぐると四日もあれば札所すべてを楽に参詣できる。それを狙って企画を立てたのが、「はじめに」に記載している旅行会社の「江戸三十三観音札所めぐり」のバスツアーであった。

丈六の阿弥陀如来に丈三の十一面観音

浄心寺の本堂ガラス戸を通して本堂内をうかがうと、ひろい内陣の中央奥に丈六の阿弥陀如来が、そしてその左右に丈三の観世音菩薩と勢至菩薩が安置されている。この大きな観音さまが札所のご本尊十一面観世音菩薩である。おそらく東京でも二十二番の長谷寺に次ぐ大きな観音さまではなかろうか。バスツアーでの参詣のとき、外陣に入れていただき、その観音さまを見上げながら全員で読経させていただいた。み仏のあまりの大きさに圧倒されそうになり、それに負けじと声を張りあげての読経であった。

その三体のすぐ前に梵天、帝釈天、毘沙門天、増長天が横一列に並び、その中央に座像の虚空蔵菩薩が金色に輝いている。虚空蔵菩薩を除いた残りの七体は、みな鮮やかに彩色されている。その姿は内陣の荘厳とともにとても豪華である。いただいた縁起によると、この八体の仏さまは完成するたびに、日本橋の三越百貨店で公開されたそうだ。

札所本尊の十一面観世音菩薩は、昭和三十八年に、仏教美術界の権威である阿井瑞岑と先崎栄伸両先生の長年の努力によって、丈三つまり一丈三尺といって四メートルもの十一面観世音菩薩像が造られたのである。それを皮切りに、四十一年には大勢至菩薩像が、また四十八年には丈六の阿弥陀如来像を初めとして、梵天、帝釈天、毘沙門天、増長天、虚空蔵菩薩像等が造られた。それら八つの尊い仏像は、彩色界の巨匠である萩原雅春先生によって鮮やかに彩色され、活き活きと輝いて今に至っている。

つまらぬことを気にせずに生きていきなさい

また、本堂内陣に置かれた二つの壺といい、外陣に置かれた虎の木造といい、余間にある木魚といい、生半可の大きさではない。とてつもなく大きいのである。木魚の高さは二メートルにも及んでいよう。何のためにこれらが置かれたのか、その本当の意味はわからないが、眺めていると楽しくなる。くよくよしているのが、ばからしくなってくる。今まで気になっていたことが、あまりに小さく思えてくるから不思議である。大きいことはいいことだ。かつてそんなコマーシャルがあり、右肩下がりの不景気にはあまり評価されなくなってしまったが、こんな大きな仏さまや置物を見ていると、小さいことで不安になったり悲しんだり嘆いたりするのがばからしくなってきて、しまいには、物事を大きなスタンスで考えたくなってこよう。

昭和三十五年春に、お坊さんの世界では日本で初めて、「東京石油」の名でガソリンスタンドを経営し、ＮＨＫから「多角営業」という戒名をつけられたと縁起に記しているなど、楽しくなるお寺さんという印象がある。その奇抜と

いうのか、意表を突いたというのか、お寺の経営を考えてみると、「つまらぬことを気にしないで生きていきなさい」という、観音さまの教えにも思えたりしてくる。

第11番　南縁山　圓乗寺（えんじょうじ）

宗派　天台宗
札所本尊　聖観世音菩薩

〒113-0001　東京都文京区白山1-34-6　☎03・3812・7865

御詠歌●観音の　おしえのままに　導かれ　ただ円かれと　み船に乗るらん

美しい聖観世音菩薩とお七

聖観音菩薩をお祀りしてある十一番の圓乗寺は、八百屋お七の墓で有名な天台宗の寺である。お寺のすぐ近くには三十階もある長く大きなマンションがそびえ、その陰に隠れるように本堂が建っている。江戸時代、江戸はその土地の七〇パーセントが武家地であった。大名はじめ旗本・御家人、大名の家臣たち五十万人がその武家地に住んでいた。また寺社地が十五パーセントで、残る十五パーセントの土地に江戸市民が住んでいた。意外に寺社地が多いことに気がつくであろう。確かに江戸地図を眺めてみると寺がやたら多いし、また境内もとても広い。今の何倍もの土地を寺は所有していた。圓乗寺も昔は広々とした境内を持っていたのであろう。

圓乗寺の前は長くゆったりした一直線の坂道で、坂のすぐ上に江戸三十三観音札所十番とは別の寺院で、同じ名の浄心寺という寺があったので浄心寺坂といっているが、坂の下にお七の墓があるので、またの名を於七坂ともいわれている。その坂道が始まるところに、「八百屋お七墓所」という二メートルくらいの自然石の石

本堂

碑が建っており、そこが圓乗寺の入口で、本堂まで参道が七十メートルくらい導いている。慈覚大師円仁の作と伝えられた秘仏のご本尊聖観世音菩薩像は戦災で焼失し、現在のご本尊は後に復元されたものという。高さ六十センチほどの立像の聖観世音菩薩である。

観音菩薩とか弥勒菩薩とか、菩薩といわれる仏の姿は、出家する前の最も着飾ったお釈迦さまの姿を基本にしているそうである。お釈迦さまは一国の王子であったので、宝冠をいただき瓔珞（ようらく）といわれるネックレスや、臂釧（ひせん）といわれる腕輪などの装身具をつけ、天衣や条帛などを身にまとっている。だが、装身具は単なるアクセサリーではなく、体温を冷やすためにつけたり、動脈の止血の場所とか脈をとる静脈の位置にあったりして、護身をも考えていたようである。ちなみに阿弥陀如来とか釈迦如来の如来像は、地位、財産、そして家を捨てたお釈迦さまをモデルにしているので、衣一枚を身にまとい装身具などは身に着けてはいない。

八百屋お七の物語

この寺は大僧都の実仙法印が天正年間（一五七三〜九二）に正徳院という寺を本郷台上に創建したのが始まりで、明暦の大火によって堂宇が焼け落ちたために、寛永八年（一六三一）に現在地に移ったそうだ。本堂前にお七地蔵尊堂があり、そこに三基のお七の墓石がある。真ん中のは上層部が大分欠けている。右手のは寛政五年（一七九三）に歌舞伎役者の岩井半四郎が建てたもので、こちらの方もかなり削られている。恋の成就に効くと伝えられ、墓石を砕いて持ち去る女性が多くいるのでそうなったらしい。左手にあるのは昭和の時代に建てられた長方形の普通の墓石で、正面に「妙栄禅定尼霊舎利塔」と刻まれている。

お七の事件は、『天和笑委集』や『近世江都著聞集』その他の随筆にも伝えられているが、正確にはわからないようである。『天和笑委集』を基本に他も参考にしながら、お七の事件について述べてみよう。

お七は本郷森川宿の八百屋市左衛門の娘で、美人の誉れ高く、家はかなり豊かであった。死んだ娘の形見の振り袖を供養するため焼いたことが原因の振り袖火事から、二十五年経った天和元年（一六八一）十二月二十八日、江戸は駒込の大圓寺から火が出て江戸の下町をなめつくした。そのときお七一家は類焼したので、菩提寺の圓乗寺に避難した。お七が十六歳のときであった。この寺に左兵衛という美男の小僧がいた。若い二人はすぐに親しくなった。だが家

八百屋お七の墓地

が再建されたので、翌年の正月にお七は家に戻らなければならない。当然二人は離れ離れになる。お七は左兵衛と離れることができない。どうしたら左兵衛に毎日会うことができるのだろうか。そうだ、火事になればまた駒込の圓乗寺に避難でき、きっと会えるだろう。そう考えたお七は、近くの商家に放火した。ところがすぐに発見されてお七は捕えられた。

取り調べのとき奉行は、

「お七、そちは十四歳だな、そうだな」

幾度も念を押したという。十四歳であれば子どもであるから、死罪から免れる。奉行もお七の汚れのない瞳をみて、憐れを誘われたのであろう。だが、お七は「いいえ、私は十七歳です」と聞かれるたびに正直に答えた。翌三年三月二十九日、千住小塚原でお七は火あぶりの刑で露と消えた。女の火あぶりはたいへん珍しいことであったそうだ。

『好色五人女』で一躍有名に

当時、お七の事件は瓦版によって、蝦夷から薩摩、琉球と全国津々浦々まで伝わったという。井原西鶴は、この事件を『好色五人女』の一人に描いた。当時、江戸で起こったこの事件は、社会に大きな波紋を投げかけ大坂にも伝わっていた。売れっ子作家の西鶴は、お七処刑の翌年『好色五人女』の巻四に、お七の避難した菩提寺を吉祥寺とし、また左兵衛のことは吉三郎として書いた。『好色五人女』は芝居や浄瑠璃でもてはやされ、事実とはまったく関係のない吉祥寺がその舞台にすり替わり、またお七の相手も吉三郎と決定づけられてしまったのである。

処刑のとき、死出の旅のはなむけに、咲き遅れの桜の一枝をお七に持たせると

世の哀れ　春ふく風に　名を残し
おくれ桜の　けふ散りし身は

という辞世の句を残したと伝えられている。

お七が処刑された刑場は、西鶴が品川あたりと記したので、鈴が森ということになってしまったが、実際は千住小塚原であったそうだ。また左兵衛は高野山に登って出家したといわれている。左兵衛の墓は目黒行人坂の大圓寺にある。大圓寺は明和九年（一七七二）の江戸の大火の火元で、そのときの死者を供養する五百羅漢が崖のうえに並んでおり、壮観である。また、長野の善光寺の境内に濡れ地蔵があり、左兵衛が後年お七の霊を慰めるため建立したものと伝えられている。

バスツアーのとき三十数人の全員が、本堂前のお七の墓前で観音さまの安置してある本堂に向かって読経した。そのときもそうであったが、いつ参詣してもお七の墓にはたくさんの花が飾られている。圓乗寺の聖観世音は、昔から縁結び、火防（ひぶせ）の観音さまとして親しまれて信仰を集めており、現在でも良縁成就、家内安全、開運招福、厄除け、災難消除、交通安全、学業成就などのお願いに多くの参詣者がやってきて献花する。そのつど圓乗寺の聖観世音は、お七と参詣者に温かい眼差しで回向している。

令和元年に本堂が平屋から、納骨堂・集会堂を入れた四階建てのビルになっている。

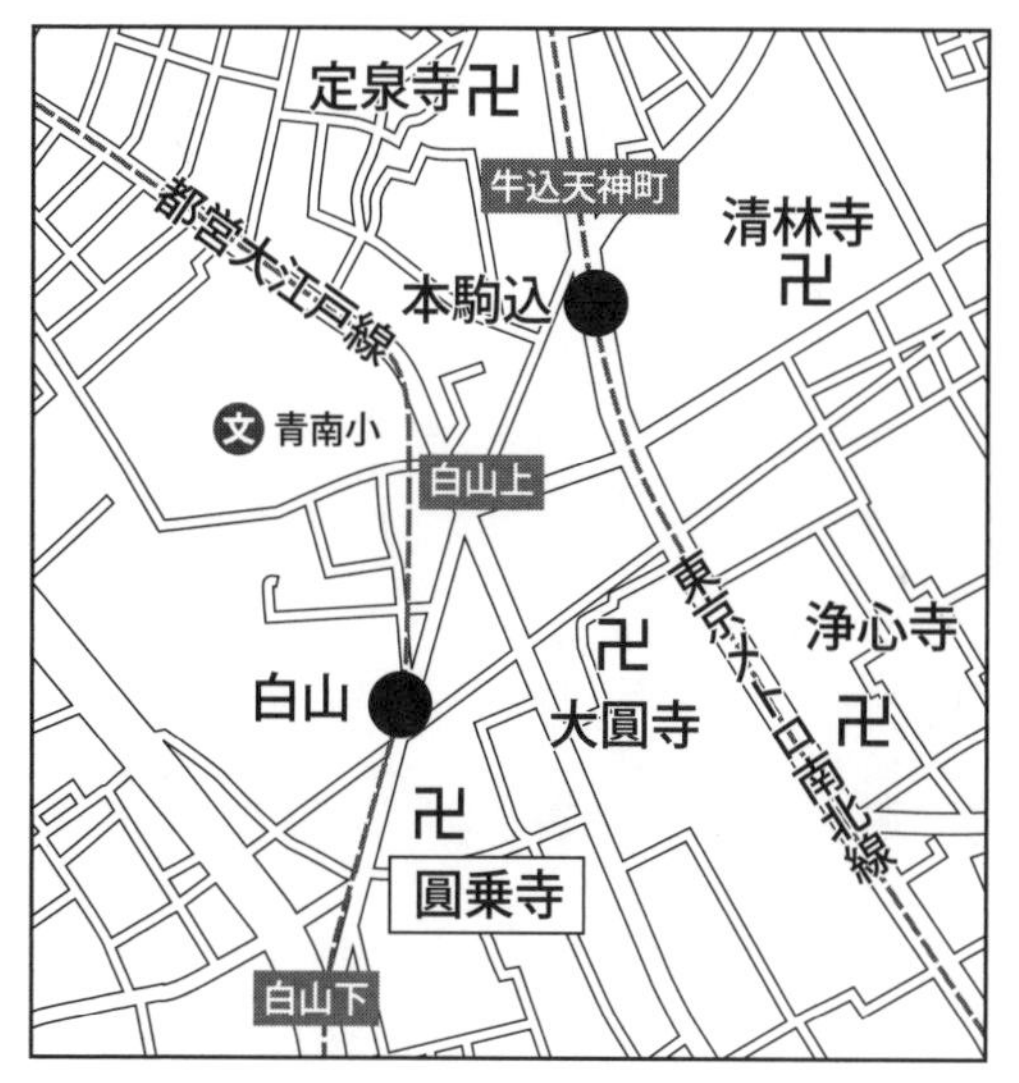

第12番　無量山寿経寺　傳通院（でんづういん）

宗派　浄土宗
札所本尊　無量聖観世音菩薩

〒112-0002　東京都文京区小石川3-14-6　☎03・3814・3701

御詠歌●ありがたや　まことの道を　ふむ人は　慈悲の阿弥陀が　救うとうとさ

細身ですらりと背の高い観音さま

　山号を無量山、寺号を寿経寺と号する傳通院は浄土宗の寺院である。ご本尊は阿弥陀如来、札所本尊は無量聖観世音菩薩である。何本も通っている都営バスの「伝通院前」で降りると、桜並木の参道の先に傳通院の本堂が見える。私はある昼下がり、本堂脇の寺務所から上げていただいたことがある。内陣中央に阿弥陀三尊が祀られ、左の余間壇には札所本尊である無量聖観音菩薩像が、とても優しいお姿で立っている。

　この観音さまは高さ二メートルもあろうか、すごく細身で背丈の高い八頭身の観音さまである。左手にはつぼみの蓮を持ち、右手はつぼみにかすかに触れている。木造であり、素木の木目を生かしながら、肌色に彩色されているような観世音菩薩像である。江戸時代に庶民の信仰を集めた菩薩像とはむろん違うであろう。かなり新しい像に思える。この無量聖観世音菩薩像は外陣からいつでも拝観ができる。

　傳通院は南北朝時代の応永二十二年（一四一五）に、現在の茨城県大宮町上岩瀬出身の了譽聖冏（しょうげい）上人によって開かれた。了譽上人は岩瀬

本堂

城主の白石志摩守宗義の子として生まれた。五歳のときに父を戦さで亡くし、八歳のときに瓜連にある常福寺で出家して勉学修行に打ち込み、後に多くの書物を書いてたくさんの弟子を育て、近在の庶民に仏教を広めた。そして、上人の高弟で増上寺の開山である酉誉聖聰（しょうそう）上人の勧めによって、小石川台（礫川台）のこの地のそばの極楽水というところに草庵を結び、その庵を無量山寿経寺と称したのがこの寺の起源と伝えられている。現在その地には浄土宗の宗慶寺が建っている。

『東京都の地名』（平凡社、二〇〇二年）によると、寿経寺の庭内に泉（吹上の井、極楽水とも）があった、と記され、また『江戸名所記』には、十人ほどの男女が集い、何人かが柄杓で水を飲んでいる「極楽之井」の絵が描かれている。昔、この辺りは、特にきれいな水が湧き出ていたのであろう。

家康の生母於大の方の菩提寺として再興

それから約二百年後の慶長七年（一六〇二）八月に、徳川家康は生母於大の方が逝去したので、増上寺の存応上人にその菩提寺について相談した。すると存応上人から、増上寺の開山の恩師である了譽上人が開いた寿経寺は、今は疲弊しているが、そこを再興してはとの勧めがあった。家康は寺を再興し、於大の法名をとって傳通院とし、徳川家の庇護のもとに大伽藍が整えられていったのである。

『檀林小石川傳通院志』によると、慶長十三年（一六〇八）関東十八檀林の一つに定められ、文化五年（一八〇八）には東西の学寮十七、別院七か寺と栄えていた。

ところが、明治維新による廃仏毀釈と徳川家の没落によって、昔の面影はすっかりなくなってしまった。特に、太平洋戦争の戦火によって、建造物はもちろん寺宝や古文書をほとんど失ってしまった。『江戸名所図会』には、この寺の総門が今の春日通りに面して建てられ、広々とした寺域のなかには大黒天念仏堂や学寮などもあり、全盛を誇っていた様子が如実に描かれている。また、現在でも、墓域のあちこちに林立している巨大な墓石が、このお寺の栄えた歴史を何よりも物語っている。

このお寺の広い墓所には、数奇な運命に翻弄された於大、千姫、孝子の墓所がある。

哀しくも美しい女の一生

於大は享禄元年（一五二八）三河刈屋城主水野忠政の娘として生まれた。十四歳で今川方の松平広忠の妻となり、翌年家康を産んだが離縁された。そして織田の家臣久松俊勝と再婚させられた。やがて桶狭間の合戦で今川方が大敗して、ようやく家康が人質から解放され自由の身

山門

になると、於大は俊勝との間にもうけた三男四女とともに、家康と十六年ぶりに面会した。その十五年後に家康が関ヶ原の合戦で天下を取った翌々年に、京都伏見城で七十五歳で亡くなった。於大の墓石は本堂向かってすぐ左手にある。

於大の墓所から三十メートル奥に足を運ぶと、千姫（天樹院）の墓所がある。千姫の父は二代将軍徳川秀忠、母は秀吉の愛妾淀の妹の於江である。七歳のとき淀の子秀頼に嫁ぎ、大坂城落城には無事脱出した。その翌年には本多忠刻と再婚して、一男一女をもうけた。結婚十年目に夫が亡くなると、江戸城に戻ってきて竹橋御殿に住んだ。激動・劇的な前半生とは裏腹に静かな後半生の日々を過ごし、寛文六年（一六六六）七十歳でこの世を去った。

千姫の墓所のすぐ裏手に、千姫の弟家光の正妻孝子（本理院）の墓所がある。いずれも古く

蒼然とした四メートルを超す巨大な五輪の塔である。孝子は関白左大臣鷹司信房の娘として生まれ、住み慣れた京都を去って江戸に下り、婚期遅れの二十四歳で二歳年下の家光と華燭の典を挙げた。ところが家光と正妻孝子は生涯あまり仲が良くなかった。孝子が華やかだったのは婚礼の一日だけで、あとは大奥から中の丸に追いやられ、空しい年月の女にされてしまった。孝子は家光が逝ってから二十五年近く生き、延宝二年（一六七四）七十三歳で亡くなった。

於大は息子が天下人になったので幸せといえば、幸せであったが、若いときは苦しい日々の連続であった。千姫は大坂城で夫を祖父家康に殺されており、とても幸せとはいえない。また家光の正妻孝子は、生涯夫が近づかないまま家庭内離婚の状態に追いやられ、さぞかし辛い一生を送ったことであろう。この三人はつらい女の一生を物語っているように思えてくる。

額に三日月の相のある上人像

現代は、高齢者の実に何割かが家庭内で虐待を受けていると聞いた。この世はとかく住みにくいと感じている高齢者は決して少なくないようだ。バスツアーで、家族が話題になったとき、ふと席をはずした婦人がいた。どこのお寺でも真剣に祈っていたその婦人の姿が目に浮かんでくる。

バスツアーで傳通院に着いてみると、本堂では法要が営まれており、戸の透き間から読経の声が漏れていた。ツアーの参加者は堂内に入ることを控えて、本堂脇に建てられた十一面観世音菩薩を祀る観音堂のなかに入って休憩をとったり、墓地を散策したり、本堂下のトイレに向かったりしていた。結局、次の寺院めぐりの時間が迫ってきて、全員集合して本堂のなかに立つ観音さまに向かって読経しただけで、門外に待たせてあったバスに戻らざるをえなかった。

　本堂の余間に了譽上人と於大の像が安置されている。一人で参詣したとき、若い学僧から上人の額に注目するようにうながされた。上人は三日月上人といわれていたが、確かに上人の像の額には繊月（せんげつ）（三日月）の相がある。頂骨高く眼光鋭い厳しい上人像である。一方於大の像はさして大きくはなく、どこぞのおばあさんといった感じの人なつこい像である。また墓域には、幼くしてこの世を去った徳川家の多くの子女のほか、幕末の尊攘家清川八郎の墓がある。

　平成三十一年に参詣したとき、本堂内の聖観音の二メートルの細長い体躯は脳裏に収められていた通りであった。

第13番　神齢山　護国寺（ごこくじ）

宗派　真言宗豊山派・大本山
札所本尊　如意輪観世音菩薩

〒112-0012　東京都文京区大塚5-40-1
☎03・3941・0764(代)
FAX03・3941・0721

御詠歌●もろもろの　苦悩を救う　観世音　大悲の恵み　とうとかりける

綱吉の生母の桂昌院の発願で

地下鉄「護国寺」駅一番出口を出ると、そこは真言宗豊山派大本山の護国寺で、朱色の仁王門が参詣者を迎えている。その門を通り、長い石段を登って不老門をくぐると、音羽の岡の上に広がった境内の先に、元禄十年に建立された観音堂が建っている。

護国寺は天和元年（一六八一）、親孝行の徳川五代将軍綱吉が、生母の桂昌院の発願によって上野国碓氷八幡宮（高崎市八幡町八幡宮）の別当、大聖護国寺の亮賢（りょうけん）僧正を招いて開山としたことに始まる。そのとき亮賢は、幕府から高田御薬園（大塚御薬園）の土地を与えられて堂宇を建て、桂昌院の念持仏・如意輪観世音菩薩像をご本尊として神齢山悉地院護国寺と称した。亮賢は桂昌院が綱吉を産むときに安産を祈った僧である。初め寺領は三百石、後に千二百石に加増されたというように、護国寺は幕府の庇護をうけて大きくなった寺院である。

元禄十年（一六九七）七月、徳川五代将軍綱吉は、間口奥行ともに七間、単層、入母屋造りで銅板本瓦葺き、元禄時代の建築の粋を結集し

た観音堂を建立した。ところが桂昌院と綱吉が亡くなったあとの享保二年（一七一七）、神田

本堂

にあった大寺院の護持院が類焼して、幕府から再建を認められないことから、護国寺の本坊と合併して護持院となり、岡の上にあった観音堂のほうが護国寺となったのである。

『江戸名所図会』には、現在とあまり変わりない護国寺と、その左にかつて栄えた広大な規模を誇る護国寺の本坊であった護持院が詳細に描かれている。その後、大火が何回も襲ってきたが、観音堂は大樹老樹におおわれた岡の上にあったため、難を避けることができた。ただ明治の廃仏毀釈の際、多くの僧侶が還俗したので、護持院と護国寺も廃されそうになった。しかし、護国寺だけはどうにか再興された。そして関東大震災、さらに第二次大戦の空襲からも逃れて、元禄時代の建築工芸の粋を集めた建造物として、令和の今にその姿をとどめている。

八百屋の娘から家光の側室へ

護国寺の開基である桂昌院は、寛永四年(一六二七)京都堀川通り西藪屋町の八百屋仁左衛門の娘に生まれた。名をお玉といった。仁左衛門の死後、母は摂家二条家の家臣の本庄宗正の後妻になった。本庄家は家光の側室お万の方ゆかりの家である。お万の方は六条有純の息女で、伊勢山田の尼寺慶光院の住職であったが、江戸に下って家光に挨拶に行ったとき、その美しさに家光が惹かれて還俗させられ、側室になった。そのときお玉はお万の方の小間使いとして大奥に上がった。ところがお玉も美人であったので、家光の手がついて亀松を産み、亀松が三歳で亡くなると、そのあと徳松(綱吉)を産んだ。お玉はまさに玉の輿に乗った女性である。

慶安四年(一六五一)に四十八歳で家光が亡くなると、長男の家綱が十一歳で四代将軍になった。このときお玉は剃髪して桂昌院と称した。二十五歳であった。そして十年後の寛文元年(一六六一)に十六歳の徳松は、上州館林で二十五万石の藩主になり、名を綱吉と改めた。家綱は病弱で子宝に恵まれないまま亡くなり、幸運にも綱吉が徳川五代将軍の職を継ぐことになった。桂昌院はどんなに嬉しかったことか。ところが天和三年(一六八三)閏五月に、綱吉の世子徳松が五歳で亡くなった。そのとき、綱吉は三十八歳である。

桂昌院の念持仏だったご本尊

バスツアーで護国寺を参詣したとき、特別に厨子が開かれていた。普段は非公開の秘仏で、天然琥珀に輝く如意輪観世音菩薩像のご本尊をすぐ目の前で拝観する機会に恵まれた。ご本尊の如意輪観世音は、一面六臂といって一つの顔に六本の手がある観音さまである。右手第一手を頬にあて、第二手は如意宝珠を、第三手は数珠を持ち、左手第一手は台座につけ、第二手と第三手は蓮華と輪宝を持っている。そして三千もの宝石を身にまとい、左足を曲げて右足を膝立て、静かなお顔を少し斜め下に傾けている等身大のその姿は、いささか妖しげな雰囲気がある。

不老門

　私の頭のなかで、ご本尊の如意輪観音と桂昌院の面影が重なってきた。目前で合掌する人は感嘆の声を発して、その場から立ち去りがたく、列はなかなか進まないでいた。厨子の裏手に奉安されている、桂昌院の髪の毛一本を体内に納めた三十三の仏像もお詣りすることができて、みんなの顔に至福の表情がにじみ出ていた。

　三百年も前に桂昌院がこのお堂に足しげく通い、「若有女人。設欲求男。礼拝供養。観世音菩薩。便生福徳智慧之男」（もし女人がいて男児が欲しいと、観音さまにお願いすれば、願いどおりに徳があって智慧のある男児が授かるであろう）と『観音経』に記されているように、わが子が子宝に恵まれるようにと命がけで祈ったご本尊を、手が触れんばかりの近距離で合掌できたことは感動的であった。

護国寺では、毎日曜日午前九時から法要が修せられて、そのあと法話がある。私は秋の一日、貫首の岡本永司さまの法話を拝聴させていただいた。一枚の紙に三十ほどの仏教日常語が印刷され、その半分を解説していただいた。次のような新発見の解説がいくつもあった。

「仏語でいう無学とは、学がないのと違います。その道で学を究めて、学ぶことが無くなるということなのです」

このお寺を紹介するパンフレットに、真言宗の教義が記載されている。

「真言宗では、み仏の悟りの世界を曼陀羅（古いインドの言葉で完全なものという意味）とよびます。それは世の中のものがみなそのもの本来の存在価値を完全に発揮し正しく生かされてゆく世界です。この生きた世界を一つのみ仏のお姿と見て法身大日如来とよびます。これについて弘法大師は、『み仏の教えは遠いところにあるものではない、自分の心の中にあるものゆえ実に近い、悟りと言っても自身のほかにあるものではない、この身体以外にどこに求めるところがあろうか』と申されています。私たちは一人残らず心の中にみ仏をいだいているものです。この尊い確信に目覚めることです」

その一部であるが、ほんとうに素晴らしい言葉であるので、ここでご紹介したい。

かつて五万坪、今も一万坪の広々とした寺域には、本堂、月光殿（以上国指定重文）をはじめ、仁王門、惣門、不老門、薬師堂、大師堂、鐘楼堂（以上元禄期建築）、多宝塔等々がほどよく配置され、本堂すぐ脇の墓地には、大隈重信、山県有朋、田中光顕（みつあき）などの明治の元勲たちが永久の眠りについている。また、この寺は御府内八十八ケ所札所八十七番でもあり、堂内を無料で拝観することができる。都会の騒音から逃れ、岡の上から下界を眺める格好の場所でもあるので、参詣者があとを絶たない。

十六年前の参詣の際に第五十三代岡本永司貫主より素晴らしい法話を拝聴して感動したのだが、平成三十一年の参詣の際もご活躍であった。ますますのご活躍とご長寿を祈念致します。

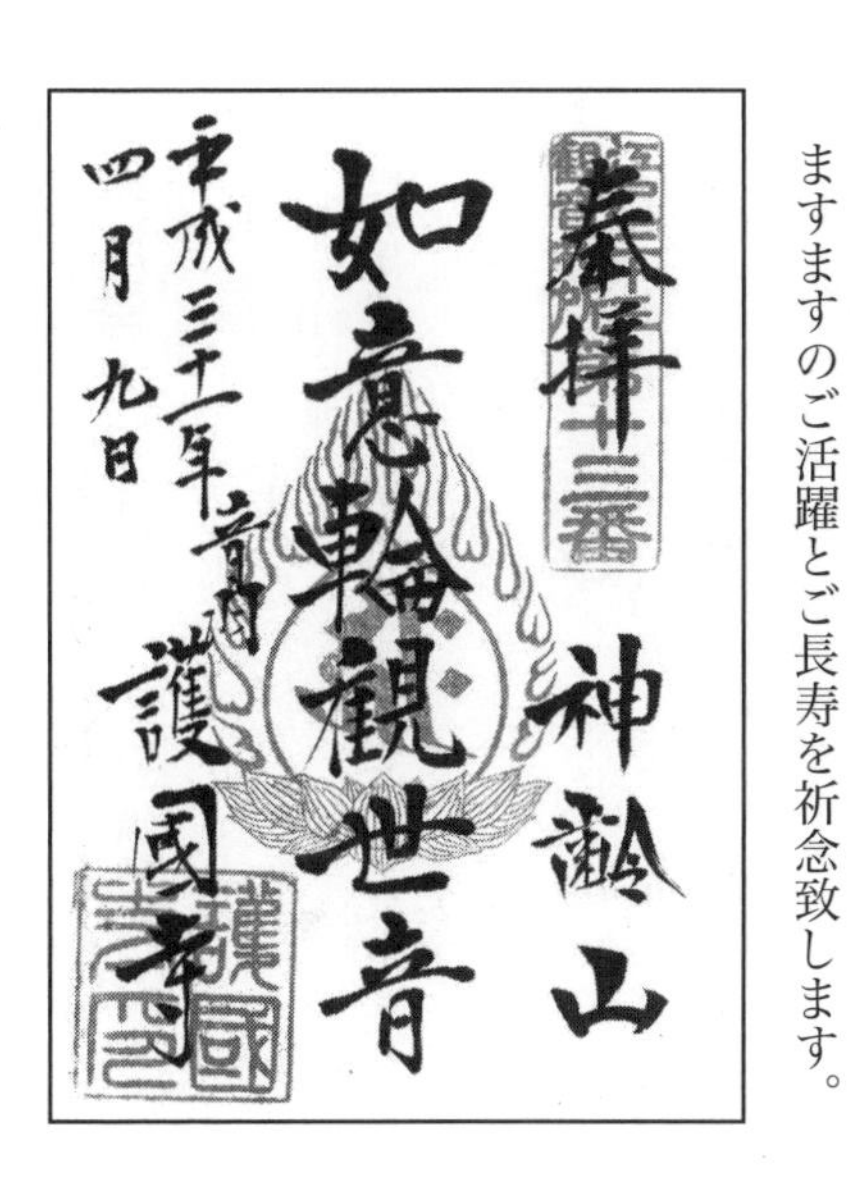

第14番　神霊山　金乗院（こんじょういん）

宗派　真言宗豊山派
札所本尊　聖観世音菩薩

〒171-0033　東京都豊島区高田2-12-39　☎03・3971・1654

御詠歌●うつしせの　まことの道を　たずぬれば　しるしまみえん　宿坂の里

目白不動としても有名

今では東京にただ一つ残っているチンチン電車の都電荒川線は、早稲田から三ノ輪橋まで、およそ十二キロで二十九の駅があり、約五十分でその間を結ぶ。真言宗豊山派に属する金乗院は、早稲田から二つ目の「学習院下」駅から歩いてわずか二分の地にある。金乗院は江戸御府内八十八ヶ所第三十八番札所でもあり、また目白不動としてもあまりに有名なお寺である。

金乗院は永順上人という僧侶が聖観世音菩薩を勧請して、観音堂を建立したのがその創建とされている。永順上人は江戸時代の少し前、文禄三年（一五九四）六月に寂したというから、寺はそれ以前の後陽成天皇の御代、天正年間に創建されていたと考えられる。初めは蓮花山観音寺金乗院と称して中野にある宝仙寺の末寺であったそうだが、のちに神霊山金乗院慈眼寺と改めて護国寺の末寺になったという。

ご本尊は、一寸八分の金銅仏の聖観世音菩薩の秘仏で、毘首羯磨（びしゅかつま）作といわれている。霊験あらたかな観音さまで、創建以来このあたりの人々の深い帰依を受け、昭和二十年の戦火にも

本堂

幸運にも難を逃れることができた。なお、木像で高さ三尺の前立本尊の立像は運慶作と伝えられたものであったが、残念ながら本堂をはじめ多くの寺宝とともに戦災によって焼失してしまったという。

この寺は小石川関口駒井町にあった東豊山浄滝院新長谷寺（目白不動）と深い関係があったので、新長谷寺が昭和二十年五月の戦災によって焼失したとき、金乗院と合併し、本堂とは別に墓地の入口にお堂をこしらえて、目白不動明王をそのお堂に安置した。そのため金乗院は目白不動としても有名である。

五街道を守護する五色不動の一つ

金乗院と合併した新長谷寺は、奈良県桜井市にある真言宗総本山長谷寺の末であり、本尊の不動明王は像の高さわずかに八寸しかない秘仏である。
縁起によると、弘法大師が唐より帰ってきて羽州の湯殿山に参籠したとき、大日如来が不動明王の姿になって滝の下に現れ、「この地は秘密の浄土であるから因縁の穢火を嫌う、よって人が登山することも難しい。お前には浄火を与えよう」そういって剣でみずからの左手を切ると火が燃え広がった。弘法大師はそのお姿を二体刻んで、一体は羽州の荒沢に安置し、残る一体は大師が護持したという。

その後、足利に住んでいた僧侶がこの一体を手にしていたが、関口に住んでいた松村某が霊夢を感じて、足利からこの地に移して一寺を建立し、大和の長谷寺のご本尊と同じ木で十一面観音像を彫って移し、新長谷寺と号したといわれている。

寛永年中に三代将軍家光は、そのご本尊に目白の号を与え、五街道守護の五色不動の一つとした。それ以後は目白不動明王というようになり、その地も目白不動の名にちなみ目白というようになった。目黒不動があったのでその辺りの町名や区名が目黒となったのと同じである。

元禄年間には、五代将軍綱吉とその母桂昌院の篤い帰依を受けて、たびたびの参詣があり（『徳川実紀』元禄十二年四月二十一日の条）、伽藍も整っていった。『江戸名所図会』にも、新長谷寺について、「麓には堰口の流れを帯び、水流淙々（そうそう）として日夜に絶えず、早稲田の村落、高田の森を望み、風光の地なり。境内貨食亭（りょうりや）多く、いづれも涯に臨めり」と記されている。

このように、金乗院は江戸五色不動の一つで、また関東三十六不動第十四番でもある。ちなみに五色不動とは、世田谷太子堂の目青不動、三ノ輪永久寺および平井の最勝寺の目黄不動、本駒込南谷寺の目赤不動、目黒の瀧泉寺の目黒不動、そしてこの金乗院の目白不動である。真言宗豊山派の目白を除いて天台宗の寺である。

山門

私は初めは不動尊の目がそれぞれ青、黄、赤、白、黒の五色になっているので、目赤とか目白とかいうものと思っていたが、江戸五不動の目の色はみな黒色であるようだ。それではなぜ色を付けて呼ぶのであろうか。一説によると、東西南北と中央の方角と関係があるといわれている。だが、この五色は梵字でいうところの地、水、火、風、空を表しており、色とも方角ともまったく関係がないそうである。

丸橋忠弥の墓もある

いただいた縁起によると、正月二十八日に、「初不動御開帳大護摩供」と記されている。そこで私は、ある年のその日の午後三時から行われる護摩供に赴いたことがある。参詣人は四十人くらいであったろうか。八人ほどの僧侶が読経し、厨子が開かれ、お不動さまのお姿が拝されると、読経のなかゴマ木が焚かれ、新しいお札がその火にかざされ、やがて厨子が閉ざされる。その間およそ四十分くらいであったろうか。なお、「ゴマを焚く」とよくいわれるが、「ゴマ」とは火を焚いて災難や悪業を焼き払う儀式であるのだから、「ゴマを修する」というのが正しいようだ。

このお寺は慈悲・慈愛に満ちた観音さまと邪気を退治してくれるお不動さまとが、そろって秘仏であるが、ふたつの仏さまは何でも願いを叶えてくださり、悩める人々の苦しみを癒してくれる有り難い仏さまである。

お寺の本堂裏手にはかなり広い墓地があり、由井正雪と謀って幕府の転覆を企て捕えられて、鈴が森で処刑された丸橋忠弥の墓がある。処刑のあと一族が遺骸をもらいうけて紀州に埋葬したが、その後子孫がこの寺に移したという。忠弥は十字槍の道場を開き、三代将軍家光が亡くなった慶安四年（一六五一）、謀反の計画が発覚して捕らえられるが、そのとき智慧伊豆といわれた老中の松平信綱が、忠弥に槍を使われては負傷者が多く出るとの計らいから、「火事だ、火事だ」と騒ぎたて、素手で出てきたところを難なく御用にしてしまったという。

塀のすぐそばに、刀剣を供養するための鐔（つば）の形をした石造りの鐔塚がある。私の目には明治以降の作と映ったが、寛政十二年（一八〇〇）に造られたものという。

金乗院の御詠歌に出てくる「宿坂の里」というのは、現在の山門に面している坂道がかつての鎌倉街道で、昔は旅人のための宿屋が坂の途中にあったので宿坂といわれるようになったのである。また、都電の学習院下駅の次の面影橋駅周辺は、太田道灌がにわか雨で蓑を借りにいった山吹の里があったところと伝えられ、面影橋駅のすぐ近くに記念碑が建っている。金乗院の庫裡では、江戸三十三観音札所第十四番のご朱印のほか、江戸御府内八十八ヶ所第三十八番札所の金乗院と第五十四番新長谷寺、関東三十六不動第十四番のご朱印もいただける。

再訪したその日にには数ヶ寺でご朱印を頂いた。金乗院は十六年前と変わっていなかった。

第15番　光松山　放生寺（ほうしょうじ）

宗派　高野山真言宗・準別格本山
札所本尊　聖観世音菩薩

〒162-0051　東京都新宿区西早稲田2-1-14
☎03・3202・5667

御詠歌●人おおく　たち集まれる　いちのみや　昔も今も　栄えぬるかな

家光より院号、山号、寺号を賜る

放生寺は高野山真言宗の準別格本山で、正確には威盛（いせい）院光松山放生寺といい、早稲田大学文学部の正面にあり、穴八幡と隣り合わせである。ご本尊の聖観世音菩薩像は秘仏であるが、年二回ご開帳がある。「融通虫封観世音」と呼ばれるご本尊は、江戸の昔より多くの尊信を集め親しまれてきた。

いただいた縁起や伝えによると、放生寺は寛永十八年（一六四一）威盛院権大僧都法印威盛院良昌（りょうしょう）上人が、現在の穴八幡といわれている高田八幡の造営に尽力し、そのとき別当寺といって神社に付属して創建されたお寺という。良昌上人は周防の国に生まれ、高野山奥の院や安芸宮島で虚空蔵求聞持法を学び、そのあと諸国を修行していた。

寛永十六年に奥州金華山の尾上八幡に参籠した夜に、夢に老翁が現れて、「将軍家の若君が辛巳（かのとみ）の年の夏ごろにご誕生されるから、汝よく祈念せよ」とのお告げがあり、ただちに堂宇に籠もって祈願したところ、その年に家綱が生まれた。その後このことが家光の耳に入り、家光

本堂

がこの寺に参詣して正保三年（一六四六）厄除けの祈祷を受けた。慶安二年（一六四九）には、良昌上人から寺社の由緒を聴いて、「威盛院光松山放生会寺」の号を賜ったと伝えられている。

以来、将軍家の信頼は篤く、徳川家代々の祈願寺として、葵の紋の使用と、江戸城登城には緋色、紫色、鳶色の三色の衣類着用が許された。家光はこの辺りでときどき鷹狩りをしたが、そのとき休憩所として命じられるほどで、そのことは『徳川実紀』に詳しく記されている。

廃仏毀釈をも乗り越えて

開創以来、神仏習合によって穴八幡の別当寺であった放生寺は、神社と同じ境内にあった。しかし、明治二年の寺社引き分けの布告によって、境内が分離されて十六代の実光上人の従兄弟景明房が還俗して、それまで放生寺の住職が兼務していた穴八幡の神官を勤めるようになり、実光上人が現在の場所にご本尊聖観世音菩薩像を遷したといわれている。神仏分離や廃仏毀釈によって、全国的に神社に奉仕する僧侶を蓄髪させたり、仏像を神社から追放したり、なかには寺がなくなってしまったところもある。その点、放生寺は幸運であった。

　寺号となっている放生というのは、野山や池に鳥や魚を逃してやることをいい、また平素の殺生に対して供養することを放生会という。この供養は慈悲行のひとつとして、中国の天台智顗によって始められ、わが国では持統天皇の御代に各地に放生所が設けられて、盛んに行った記録があるそうだ。また梵網経というお経には、放生を行えば功徳があるといって、生きとし生けるものすべての命の大切さを教えている。

　この寺では、日ごろ食卓を飾る肉や魚介類や、われわれの心を和ましてくれる動物などに感謝の意をささげるために、開創当時から放生会を修し、読経のなか放生供養として境内の池に魚を放して供養してきた。今では十月第二月曜日（体育の日）に秋のご本尊開帳を併せて行っている。

年二回厳修されるご本尊開帳

　私は春と秋のご開帳に臨んだことがある。放生会の模様について述べてみたい。本堂下にある地下講堂では午前十一時から有名な落語家の方が出演され、正午から本堂内において約一時間半にわたって放生会が厳修された。出席者はおよそ五十人くらいで、登来盤に登られた黄色の法衣を召されたご住職の左右には、紺色の法衣の僧侶が四人正座されて読経が始められた。

　正面奥の宮殿の扉は、年に二度しかない秘仏聖観世音菩薩像開帳で開かれている。向かって左手、金銅の聖観世音菩薩像の前には、五文字の梵字の下に、「放生会者○○家禽獣魚介之霊追福菩提供養」と記された卒塔婆が十列ほど並び、幾重にも重ねられている。一時間くらい経過したころ、二人の僧侶によって回し焼香炉が左右の出席者の一人に手渡される。そのころから一天にわかにかき曇り、大粒の雨が本堂屋根に音を立てて降り注いできた。その間も読経は続いている。やがてご住職が奉書紙に書かれた放生会のいわれと、ペットの供養を依頼した家の名を読み上げていく。五十家くらいあったであろうか。そのあと出席者全員で「観音経」「十句観音経」「本尊真言」「回向」などを唱え、放生会の法要は滞りなくお開きになった。

修行大師像

　ご住職が「前半のお経は難しくてわからなかったと思います。放生会に関するお経でした。この寺の放生会は体育の日に行われることになっておりまして、まずお天気のことを気にしたことはありませんでしたが……」そういいながら外の空を見上げる。だが土砂降りはいっこうに止む気配はない。「どうぞ、放生をなさったあとは、地下の講堂でお休みになっていただければ幸いです」と、簡単明快で親身あふれるご挨拶があって、一同は立ち上がった。

秘仏のやさしい観音さま

私は宮殿前に歩を運び、開帳されている秘仏の聖観世音菩薩に掌を合わせた。台座を含めて四十五センチほどの観音さまである。やさしいお顔である。そのすぐ前に小さなかわいらしいお不動さまが安置されている。そして向かって左手に等身大の金銅でできた聖観世音菩薩が立っている。またその左手の曼陀羅の前には弁財天をなかにして右に大黒天、左手に毘沙門天の小さい像が安置されている。

軒下で五人の僧が土砂降りの音をうち消すように読経をしている。階段の下では、傘をさした信者の方が、透明なプラスチックの鉢に入った小さい金魚を、池に放生している。石段を降りかけたら、金魚をあしらった記念の飾り物と赤飯、バナナ、菓子の入った袋を手渡された。そこで私も、金魚を池に放生して、地下の講堂に入った。多くの人がそこで茶を喫していた。なかには赤飯やバナナを口に運ぶ人もいた。私も周囲の人と談笑しながら、雨が小降りになるまでしばし講堂で待機した。あたりに親密な空気が流れていた。

この寺の境内には多くの像が立っている。厄除け修行大師像の敷石の下には、四国八十八ヶ所の砂が敷かれている。「南無大師遍照金剛」と称えながら、左から右に回ると、一番から八十八番まで巡礼したと同じ利益を得るといわれている。

冬至から節分までの間に穴八幡と同様に出す「一陽来福」のお札は、金銀融通のご利益があるといわれて多くの参詣者を集めている。このお寺は、江戸三十三所十五番であるほか御府内八十八ケ所三十番でもあり、またご本尊の誓いによって、七福すなわち、除災招福、財宝融通、家業繁栄、老若男女虫封じ、諸病平癒、諸願成就などの霊場でもある。『江戸砂子』にも、巣鴨、谷中、板橋などの九品仏巡礼の霊場七番下品上と記されているように、大変広く一般の信仰を集めて現在に至っている。

　十六年前、本堂と庫裏は別棟だった。現在は本堂続きの別棟は光松殿といって、個々人のお墓になり、永代供養の建家に変わっている。

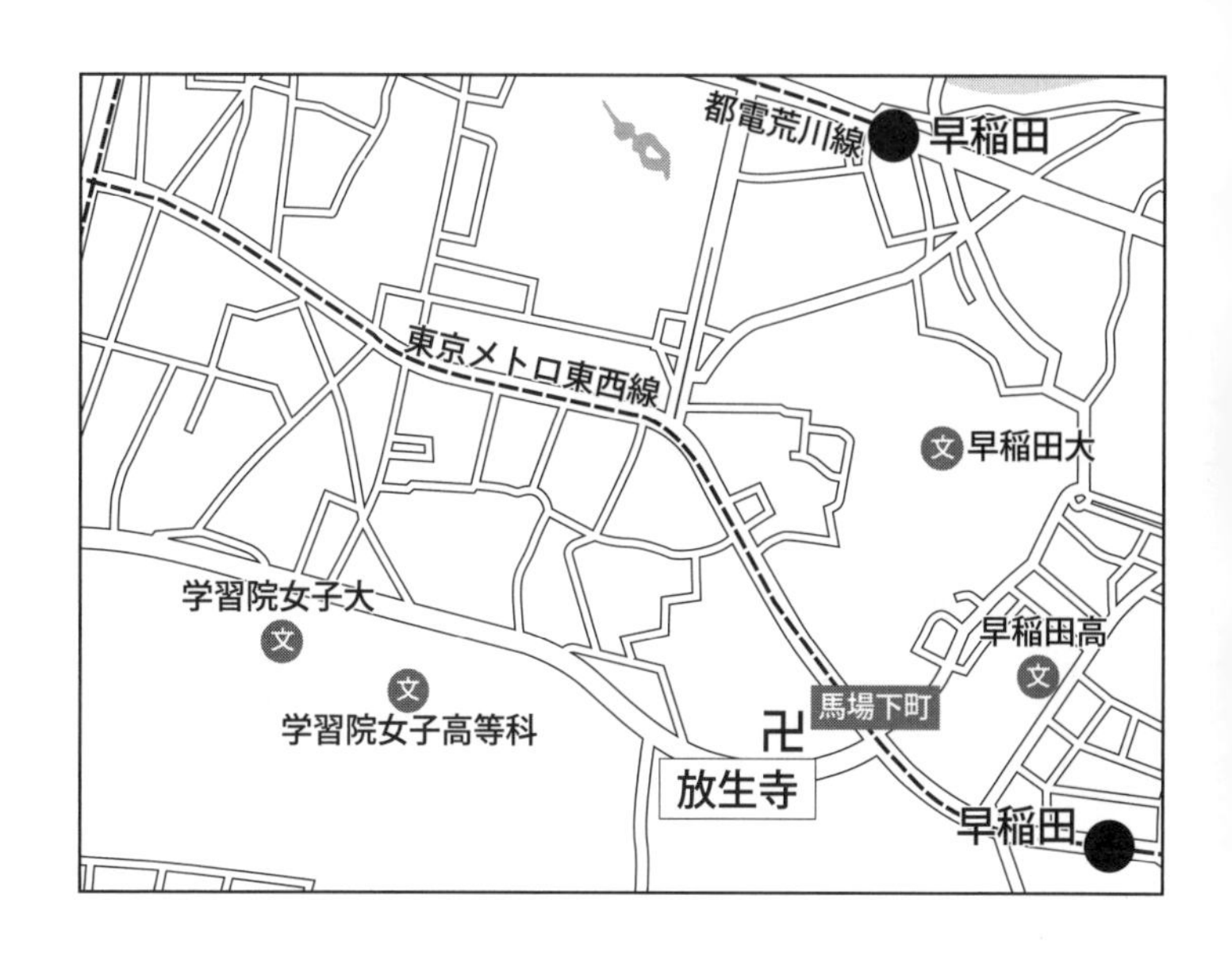

第16番　医光山　安養寺（あんようじ）

宗派　天台宗
札所本尊　十一面観世音菩薩

〒162-0825　東京都新宿区神楽坂6-2　☎03・3260・2549

御詠歌●聖天と　身をあらわして　福聚海　無量の誓い　たのもしきかな

かつて江戸城内にあったお寺

安養寺に参詣するのに、私はしばしば総武線「飯田橋」駅から神楽坂を登っていく。清掃の行き届いた瀟洒（しょうしゃ）な商店街を眺めながら歩くのが楽しいからである。歩いて七分くらいすると、十字路の向かいに安養寺が建っている。山号を医光山、院号を長寿院と号する天台宗の寺院である。この辺りは坂と寺が多い。神楽坂のすぐ近くには三年坂と地蔵坂があり、安養寺の前には瓢箪坂がある。神楽坂という珍しい名の由来は、一説によると、坂の途中に穴八幡の祭礼のとき本宮から御輿を移す旅所（たびしょ）があって、神楽を奏していたからといわれている。

安養寺の門内に入るとすぐ右手が聖天（しょうでん）堂で、正面にある階段を登っていくと本堂の薬師堂がある。縁起によると、開基は最澄上人の高弟で天台宗の三代座主慈覚大師円仁といわれている。かつてこの寺は江戸城内にあったが、徳川家康が江戸に入府したとき平川口に移され、その後また田安に動かされたあと、さらに現在地に移されたという。

私はこの辺りは寺が多いと書いたが、江戸の

聖天堂

古地図を見ていると、かつてこの辺りは今よりはるかに寺院が多く、また一か寺一か寺の寺域も今より広大であった。それがだんだんと人口の増加によって町が発展して、江戸の郊外などに移転を強いられたり、寺域を狭められたりしていったのである。安養寺もその例に漏れず、かつては現在より広かったようである。

何でも願いを叶えてくれそうな観音さま

聖天堂に入ると外陣と内陣がネットで仕切られており、内陣の格天井には日展審査員の江守若菜さんの奉納された花樹草木図が描かれている。内陣の奥には金色の屋根をもつ宮殿があり、そのなかに秘仏の聖天が祀られ、その前、宮殿に接した厨子のなかに札所本尊の十一面観世音菩薩が安置されている。

その他に大黒天、三宝荒神、愛染明王、毘沙門天、妙見菩薩、虚空蔵菩薩など諸尊が数多く祀られている。

私はある一日、ご住職ご夫妻からお話を伺うことができ、また札所本尊をほんの間近で参詣する機会に恵まれた。奥方がローソクを灯され厨子に近づけると、立像の観音さまの姿が浮かびあがってきた。右腕で蓮であろうかつぼみを入れた水瓶を抱き、左の掌は開いたまま下げて望みを叶えようという与願印を示している。

蓮華座の先から舟形光背の先まで入れても五十センチ。観音さまの背丈はわずかに二十五センチと小柄であるが、化仏の十一面といい、胸飾といい、天衣裳といい、細かいところまで入念に彫刻が施されている。ふっくらとした丸顔のとても穏やかな優しいお顔をされている。気楽に何でも願いを叶えてくれそうなお姿に、おのずと掌が合わさってくる。

聖天は七番の心城院のところでも述べたが、大聖歓喜天とも歓喜天ともいい、普通、象の頭をした男女が抱き合っている像である。ここ安養寺の聖天さんも近在の多くの人々の信仰を集め、通称、神楽坂の聖天さんといわれて親しまれている。秘仏であるから拝観はできない。

百日回峰行を成し遂げたご住職

聖天の本地仏（もとの仏さま）である札所本尊の十一面観音は、ご住職が比叡山で回峰行を行ったとき、百日満行記念に叡南祖賢大行満から賜った霊仏である。大行満とは千日の回峰行を成し遂げた行者で聖者をいう。また聖天は、天台座主二百三十四代大椙覚宝大僧正が拝まれていた由緒正しい伝統仏であるそうだ。

比叡山には十六谷といわれるように多くの谷があり、そのひとつ東塔の南に無動寺谷がある。そこには千日回峰行を創始した相応上人が開いた明王堂と無動寺大乗院がある。私も一度明王堂と無動寺大乗院を訪ねたことがある。ケーブルカーの山上駅から約一・二キロくらい山を下っていくと、あたりは急な谷地であるのに、近づくといくらかの平地がある。そこに無動寺大乗院が建っている。玄関口に立つと、「御自由に御参拝下さい」と書いた木札が、上がり框（かまち）に立て掛けられている。実に有り難い。遠慮しないで堂内に入った。

本堂の薬師如来

　廊下の上の白壁には、百日回峰行を終えた証の御礼であろうか、「第初百日　北嶺行者　回峰之御牘○○」と名前が記されている半紙が何枚も貼られている。ここは回峰行の本拠地である。比叡の回峰行というのはとても厳しい修行である。ご住職も大変であったに違いあるまい。誰もいない、時間が一瞬止まったような、シーンとした静寂のなか、その壁の下のガラス戸から樹間を通して琵琶湖が見下ろされる。琵琶湖を含めた窓の外の風景が、何か別な次元のものに見えていたのを、今でもはっきりと覚えている。そんなこともあって、私は安養寺のご住職には一種の親近感を抱いていた。

お顔と手首と薬壺から復元した薬師さま

「照于一隅　此則国宝」（一隅を照らす　これ則ち国宝なり）という言葉がある。その語は、『山家学生式（さんけがくしょうしき）』の冒頭に記された最澄の有名な言葉で、名言として各方面で引用されることがしばしばある。ところがこの語は正確には、「照千里」「守一隅」という『春秋』の二語をつづめたもので、「照千一隅　此則国宝」（千里を照らし一隅を守る　これ則ち国宝なり）が正しいそうである。この説は、かなり前に論文で発表されており、最近有力になってきたとある書物にも書かれている。実は、この説を公にされたのが安養寺のご住職で、幾多の論文をまとめられた立派な著書もお持ちである。ご住職は学者肌の方で、お会いしても「わたしは祈祷師ですよ」と、とても謙虚な僧侶である。

さて、正面の階段上にある本堂に祀られているご本尊は、二メートルもある薬師如来の丈六の金銅仏である。第二次大戦の空襲によって寺は全焼してしまい、不幸中の幸いというのであろうか、薬師さまのお顔と手首と薬壺が奇跡的に無傷であったので、それをそのまま使用して、日本でも有数の仏師によって元通りの姿に復元できたそうである。そのご本尊の脇仏として、不動明王と聖観世音菩薩が奉安されており、お堂の奥の壁に日光・月光菩薩、両脇の壁に十二神将が金字・金泥で描かれている。

一人で参詣したときも、バスツアーで参詣したときも、本堂と聖天堂の堂内に入れていただいた。聖天堂にはいろいろな仏さんが祀られ、また何枚かの仏の写真が飾られて、堂内がとても賑やかに思え、大変親しみのあるお寺さんという感じがした。神楽坂という下町とご住職ご夫妻が醸し出す雰囲気かもしれない。

安養寺では、心願成就、家内安全、商売繁昌、病気平癒、良縁成就、合格成就、交通安全等々の祈願が、ご住職の懇篤なご祈祷によって行われている。

十六年前ご住職夫妻から「照千一隅論攷」という書物を参詣記念として頂戴した。書棚に大切に保在している。

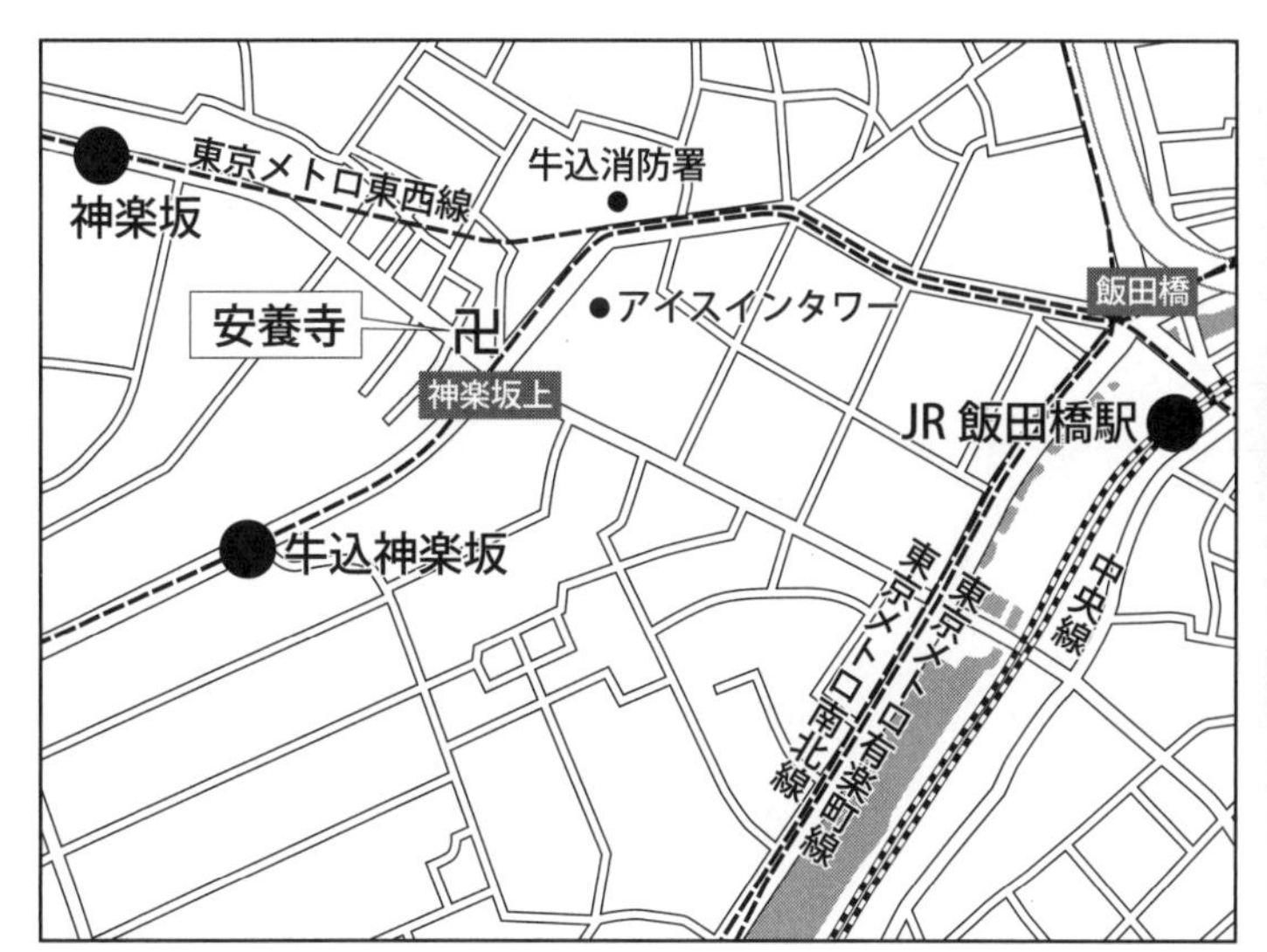

第17番　如意輪山　寳福寺（ほうふくじ）

宗派　真言宗豊山派
札所本尊　如意輪観世音菩薩

〒164-0014　東京都中野区南台3-43-2　☎03・3381・7029

御詠歌●うつろなる　この世にありて　頼みする　如意の観音　宝福の寺

ご本尊は聖徳太子

地下鉄丸ノ内線方南町東口を出て、方南通りを新宿に向かって歩き、最初の信号を右手に折れ、今度はすぐ左手に折れて神田川を渡り、数分道なりに歩いていくと、左手にこんもりとした緑の小高い岡の上の寳福寺への坂道に出会う。その五、六十メートルほどの坂を登っていくと、そこにこの寺の正門があり、門の間に堂々とした本堂が姿を現す。

山号を如意輪山と号する寳福寺は真言宗豊山派のお寺で、ご本尊は聖徳太子像である。門内に入ると境内は千五百坪もあって広々としており、すぐ左手には、札所本尊を安置している瓦葺きのこぢんまりとした観音堂がある。

山号から察して札所本尊が如意輪観世音菩薩であることはすぐ判明しよう。観音堂の裏手崖の下には墓地が広がっている。その反対側には境内をはさんで側門がある。

初めて参詣したときは道が入り組んでいたので、途中で二回ほど寺のありかを人に尋ねた。二度目はバスツアーでの参詣で、側門の近くまでバスが入っていき、そこから徒歩で寺院に向

本堂

かった。どちらも夕刻であった。一見して側門のほうが大きいし、また車と人の往来がひんぱんにあるので、こちらが正門と思いがちだが、本堂に向いているほうが正門であるそうだ。

三度目に参詣したときは、もう地理に明るくなっていたので、方南町駅で降りてすんなりお寺に着くことができた。初めてのときは十五分くらいかかったように思えたが、慣れると七分くらいで行くことができる。このとき観音堂に入れていただき、札所本尊の如意輪観音さまを身近に参詣できた。

中野観音と呼ばれる如意輪観音さま

濡れ縁をめぐらした三間四方の堂のなかは思ったより広く感じた。堂内は礼盤の先に大壇がしつらえてあり、須弥壇に札所本尊の如意輪観音が奉安されている。『中野区史』には一尺五寸と記されてあったが、もっと小さい観音さまに思える。また彩色されているものと勝手に思っていたが、金色で例によって手を頬にあてて右膝を立てている。

「どうぞ、お近くで拝観ください」

案内してくれた若い僧の方が、親切にうながしてくれる。わたしは大壇を迂回して宮殿のなかをうかがう。如意輪さまはとても優しいお顔をなさっている。仏さまも観音さまも男性でも女性でもないといわれているが、如意輪観音さまはその姿態が官能的でもあるので、つい女性であると思ってしまう。この如意輪観音さまは中野観音といわれて多くの人々の信仰を集めている。

親鸞聖人が、生死の問題と同じように性の問題に苦悩したとき、百日間の参籠を決意して向かった先が京都・六角堂で、その寺の本尊は如意輪観音であった。その結果九十五日目の暁に、「私（観音）が玉女となって交わりを受けましょう」という夢告を得たのである。このことがあって親鸞聖人は結婚し、また法然上人に帰依することになる。如意輪観音は性にも深く関係ある菩薩であるという。私は、「親鸞聖人が祈る対象は如意輪観音でなくてはならない」とかねてから思っていた。

「普通の如意輪観音さまは、六臂ですが、この観音さまは珍しく二臂なんですよ」

若い僧の方にいわれて私は、再び宮殿の前に足を運んだ。よく見ると確かに手は二本であった。

「本当に、二本なんですね」

私は、札所本尊に参詣できたことをとても嬉しく思った。この寺では、いつでも希望者には拝観を受けているとのことであった。

新しい観音堂

須弥壇の向かって右手の一間には、小さな同じような三体の金色の仏像が並んでおり、また左手の一間には、小さな笈のなかに十五センチほどの札所本尊の写しの金色の如意輪観音が安置されていた。

「昔、観音講のとき、信者の方が写しの小さな観音さまを、笈に入れて背負ったそうです」

かつてわが国はどこでも、宗教的行事が盛んでいろいろな講がはやっていた。この寺でも昔は講が盛んであったのであろう。

「順打ち」か「逆打ち」か「経済コース」か

この寺の始まりは詳細にはわからないそうであるが、伝承などによると、聖徳太子が諸国を巡ったとき紫雲たなびくこの地を霊地とし、堂を建立して如意輪観音像を安置し、国家安穏を祈念したという。その後、聖武天皇のときに信行大僧都がこの地に来て住み、霊感によって聖徳太子孝養の像を刻んで祀り、人々を教化したと伝えられている。

そして寛元年間(一二四三~一二四七)のころ、守海上人が諸堂を改修して中興第一世といわれ、正徳年間(一七一一~一七一六)には、この地の生まれであった十六世の栄雅大僧都が、修行の末に秘法の伝授を受け、本堂を改築し、門前に等身大の石地蔵を建てたという。また、天保年間(一八三〇~一八四四)に栄勝法印が客殿を建て、昭和九年には弘法大師の御遠忌を記念して観音堂を改築したといわれている。

札所の番号順に巡拝することは基本であって「順打ち」といい、番号を逆にめぐることを「逆打ち」といっている。江戸三十三観音めぐりの場合、順打ちでも逆打ちでも、番号順に従って参詣すると、ちょっと無理なところが二か所ある。巻頭の「江戸三十三観音札所地図」を見ていただくと、それがすぐ理解されよう。

江戸時代の江戸三十三観音から現在の新撰江戸三十三観音になったとき、廃寺などの理由で穴埋めした結果が非経済コースになったのであろう。

旅行会社のバスツアーは、順打ちにはこだわらず経済コースでツアーを企画している。私は個人で回る場合も、さして順番にこだわらず、楽しく巡拝すればいいのではないかと思っている。

十六年前、如意輪観音を親切にご説明下さったのは現在のご住職である。

十七番寶福寺から十九番の東圓寺までの道は私にとっては迷いやすく、苦手に思っていたのだが、地図に赤線を引いてわかりやすく案内頂いたことが本当に有り難かった。このことは

「むすび」でも詳細に別途説明している。

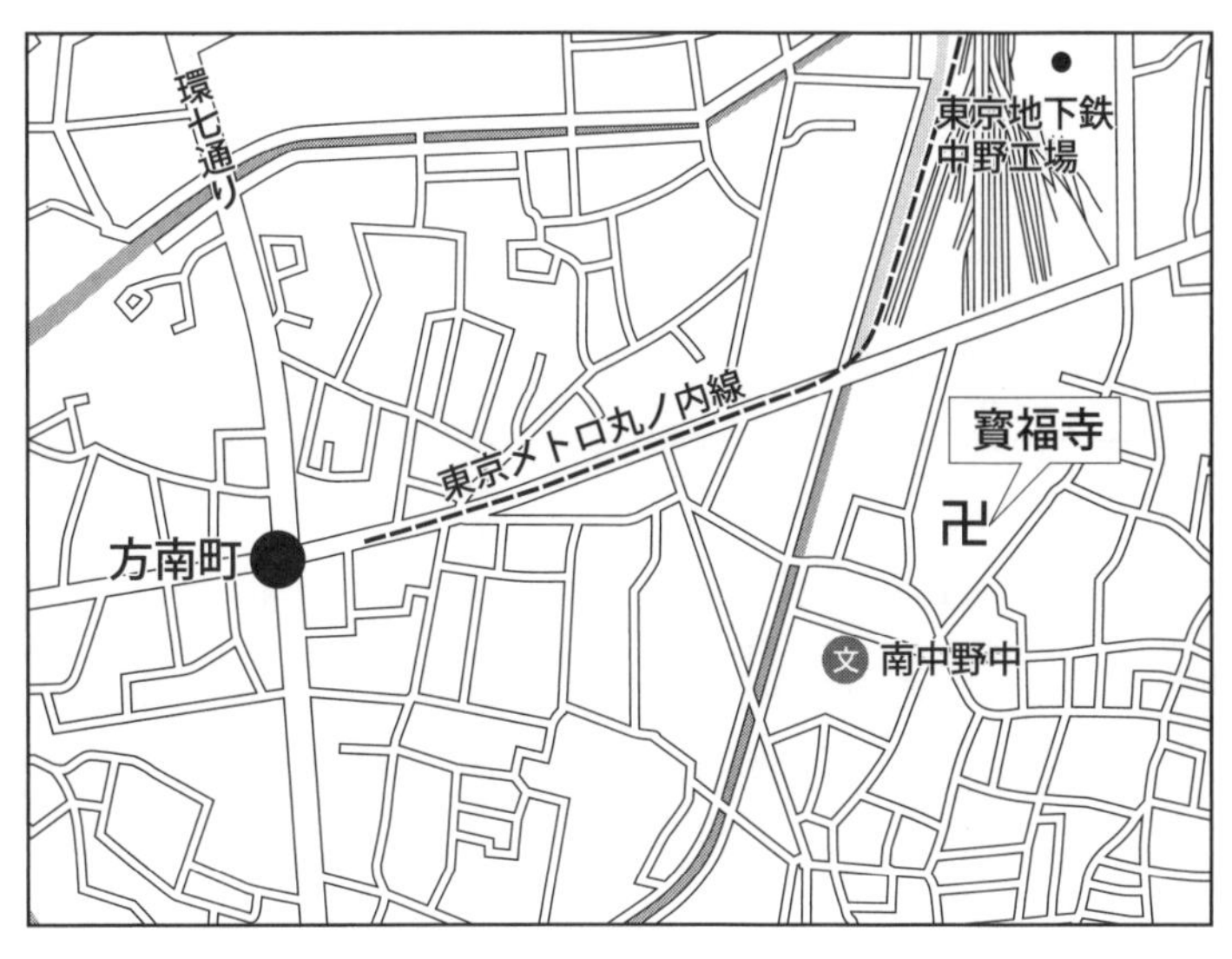

第18番　金鶏山　真成院（しんじょういん）

宗派　高野山真言宗
札所本尊　潮干十一面観世音菩薩

〒160-0011　東京都新宿区若葉2-7-8　☎03・3351・7281

御詠歌●世も人も　変る浮き世に　住む中に　変らぬ利益　潮踏の里

観音坂という急坂に面して

四ツ谷の地名は、四つの大きな谷があったことからとも言われているが、諸説あり不明である。四ツ谷駅と地下鉄丸ノ内線四谷三丁目駅の、ちょうど中間地点、四谷二丁目の信号を少し南に入り、急な坂を下りきり左手に折れるとその先に、江戸三十三観音札所第十八番の真成院がある。山号を金鶏山と号する高野山真言宗のお寺である。このあたりは坂が多く、また深い谷の底という感じがする。坂にはひとつひとつ、円通寺坂、須賀坂と名前が付けられている。真成院の入口も観音坂という急な坂に面している。もちろん真成院の観音さまから名をとったのである。

真成院は古い歴史のある寺院であるが、四谷霊廟と併設されている建物は、白亜の鉄筋鉄骨コンクリート八階建ての大変近代的なビルに建て替えられた。そういえば最近の寺院は昔のあの木造の元来の寺院形式の建物がだんだん建てられなくなってきている。宮大工も少なくなっているほか、宗教界も時代のニーズに適合するには、まず外観から変えていこうとする考えがあるからであろうか。今は観音堂と本堂とが一つの建物のなかに、一緒に同居しているが、昭和二十年五月の東京空襲によって烏有に帰する以前は、天保八年（一八三七）に再建された観

観音堂

音堂と真成院本堂が別々に建っていたそうだ。

一階の寺務所で観音さまの参詣の許可をいただき、そのあと恐る恐るご本尊のカメラ撮影をお訊ねすると、いとも簡単に快諾されたので、有り難く思いながらご本尊が祀られている三階にある観音堂に向かう。堂内はさほど広くはなく、戸を閉めると音までもが下界とは遮断されて、自分の鼓動がはっきりと聞こえるくらい静かである。

都会の中の有り難い空間

お祀りされている観音さまは十一面観世音菩薩である。高さ七十センチくらいで大きなものではなく、お顔がとても優しい観音さまである。合掌していつまでもお顔を拝していると、観音さまに一人でお会いしているという高ぶっていた気持ちが、潮が引いていくように静まっ

ていくのが自分でもわかる。

参詣する人は何を祈るのだろうか。人生は四苦八苦である。死ぬほど苦しんでいるとき、生きていくのが本当につらいとき、あるいは何か願い事があるとき、都内のこのような場所で観音さまを独り占めにして語りかける。そして優しいお顔の観音さまから励ましの力とか、救いの言葉をもらって勇気づけられる。この観音堂はそんな有り難い空間に思われた。

観音さまの像は、初めは人間と同じように、一つの顔と二つの手からなっている聖観音菩薩であった。それが他の六観音のようにいろいろに変形して多面多臂の像が出現してくるようになった。その最初が十一面観音菩薩である。

十一面観音菩薩の中央の大きな顔を本面というが、その面と合わせて十一面のものが普通の形である。頭上の菩薩の面が三面、怒りの面が三面、牙を剥いているのが三面、大笑いしているのが一面あり、さらにその上に化仏といって小さな如来を載せているのが普通の十一面観音菩薩である。四方八方に顔を向け目を開いて見落とすことのないように、人々を救ってくれる。江戸三十三観音札所では八か寺の札所本尊が十一面観音菩薩である。

潮踏の観音さまの由来

真成院で発行している『潮踏十一面観世音略縁起』を開いてみると、天保二年（一八三二）の「潮踏観音由来」と天明元年（一七八一）の「潮干観音略縁起」という二つの縁起が載せられている。前者のほうを要約してみよう。

潮踏の観音といわれているこの寺の観音さまは、唐の国から村上天皇に献上された三国伝来の像で、またの名を潮干観音ともいわれてい

観音坂からの真成院

る。それは立っている金剛宝石の座が海にあって、潮の干満によって台石がしっとりと濡れたりしたところからそう呼ばれるようになった。

村上天皇が病になったとき、天皇の第八皇子の具平（ともひら）親王は、「法華経にあるように観音菩薩は二世の願いを聞き届けてくれるというのなら、父の命と引き替えてほしい」と祈ったところ、帝の夢の中に老翁が現れ、「われの座っているところは海であるが、その水は八功徳水であるから飲むと病も治るであろう」といわれ、それを帝が飲んだところたちまちにして病が快復したという。

よろこんだ村上帝はその観音を、六条宮千種殿といわれた具平親王に付託した。観音は千種家の本尊となり、寿永のころ千種家の流れをくむ武士の村上家に渡り、やがて信州川中島の領主村上義清の家に安置された。村上義清が信州を退去したとき、村上道楽斎にわたり、大坂の陣の後、道楽斎が水戸家に仕えることになったとき、観音は真成院に置かれることになった。

ご利益があるので参詣人が群集して寺は栄えたが、不幸にも享和のころに火難に遭って堂宇がことごとく焼け落ちてしまった。ときの住職は働き者であったので、以前より参詣の人が倍加したといわれている。

なお今も、信心深い信者が礼拝すると、観音さまの目から慈悲の涙が流れ出るといういい伝えがあり、本当に慈母が子供を哀れんでいるようだと讃えて縁起は終っている。

霊験あらたかな観音さま

古書『紫の一本(ひともと)』によればこの観音像は、越後の村上義清の守り本尊で、義清の没後に孫の村上兵部道楽斎入道が、大坂夏の陣に参戦した後、江戸に下りこの寺に納めたという。また『江戸名所図会』によると、このお寺のご本尊は越後の村上義清の守り仏で、その子孫の兵部入道道楽斎が大坂の陣のとき上杉景勝に従って奥州米沢から大坂に赴き、後に江戸に帰りこの寺に納めたと少し詳しく記している。いずれにせよ村上家と深い関係にある観音さまである。

村上義清という武将は信濃国上田のあたりの武将で、甲斐の武田信玄にしばしば攻撃を受けて、越後の上杉謙信に助けを求め、信玄謙信の激突の川中島の合戦の直接原因となった武将である。「潮干観音略縁起」も、村上家との深い関係を述べているが、この縁起ではこの観音さまは千年の昔、中国で鋳造された金銅の霊像で、深海に入って魚族と仏縁を結び、わが国に流れて漁師の網にかかったと記されている。

平成十七年に本堂三階の観音堂で十一面観音

さまに初めて参詣した。そして十六年ぶりに再会できた。気持ちが落ち着き満足であった。

このお寺は御府内八十八ヶ所第三十九番札所関東九十一薬師霊場第十三番札所でもある。

なお、お隣は西念寺で徳川家康公の忍者頭であった服部半蔵正成が住んでいた。最寄り駅は四ツ谷であるがそこからの路は迷路の様で迷いそうになる。

奉拝
潮干十一面観世音
平成三十一年二月二十二日
四谷
金鶏山真成院

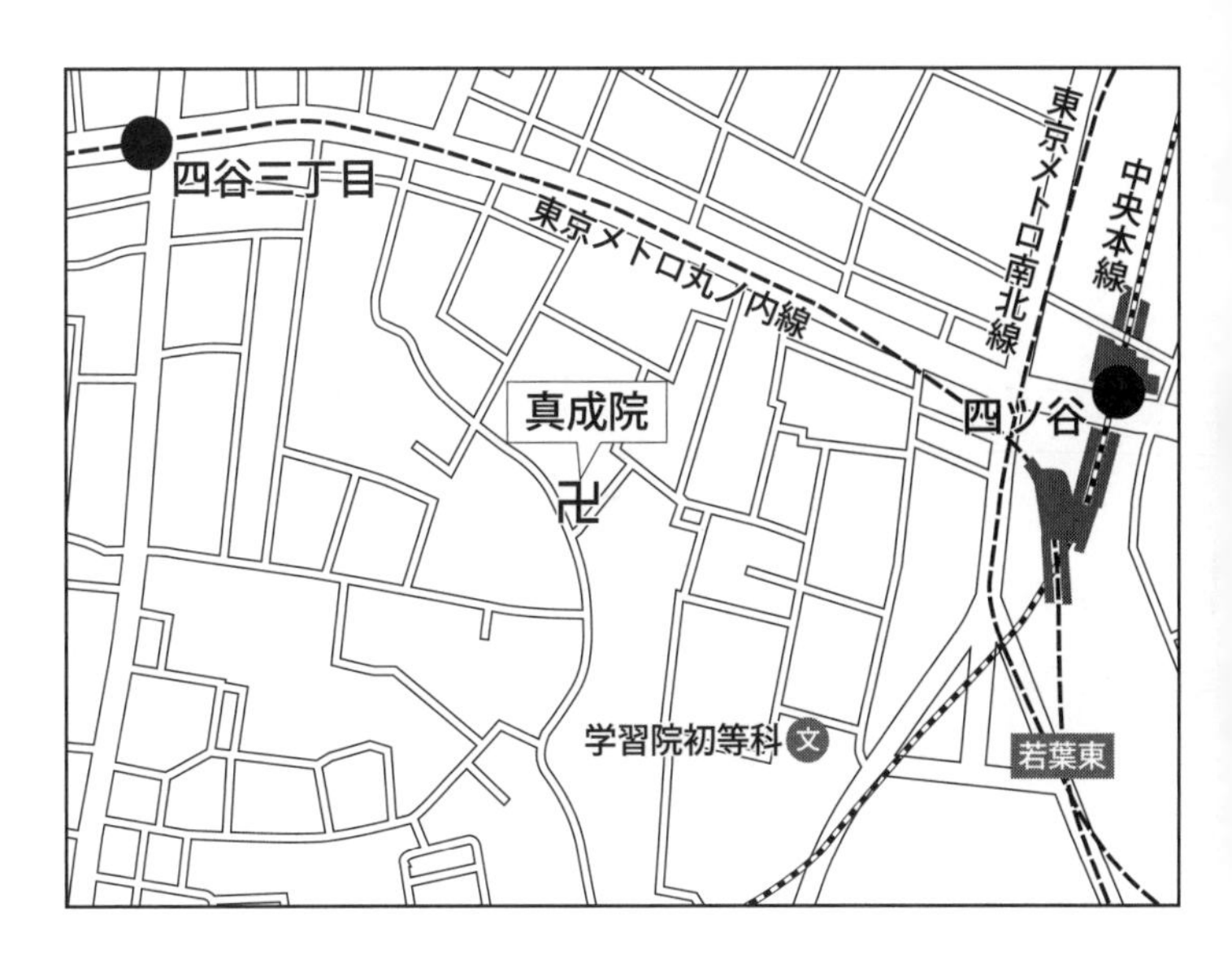

第19番　医王山　東圓寺（とうえんじ）

宗派　真言宗豊山派
札所本尊　聖観世音菩薩

〒166-0012　東京都杉並区和田2-18-3　☎03 3381・9292

御詠歌●あなとうと　救世の光り　今の世に　つきぬ利益ぞ　有明けの月

富士見町駅からでも方南町駅からでも

富士見町駅から十分で東圓寺に到着するが、次の終点方南町駅で降りても、時間的にはあまり変わらないような気がする。ただ方南町下車の場合は環七通りに沿って北に五、六分行き、立正佼成会の法輪閣の角を右手に折れ、大きなドームの大聖堂の前を進んで、左手に折れると坂の途中に東圓寺の屋根瓦が見えてくる。大きな道路と目立つ建物があるので、方南町からのほうがわかりやすいかもしれない。

しかし、初めてのとき私は大聖堂の脇の道を選んでおきながら、東圓寺と思われる屋根を横目に見て一度でたどることができなかった。途中に横に曲がる道がなかったからである。坂を登りきったところで買い物かごを手にしたご婦人に尋ねたところ、よほど私の発音が悪かったのか、東圓寺のすぐそばにいながら、「高円寺はこの先まだまだですよ」といわれてしまった。

地方に行くと大きな建物といえば学校か役場か寺社と相場は決まっているし、名が通っているのですぐわかるが、都会ではよほど大きな寺ででもない限り、近くで聞いてもわからないこ

本堂

とがある。

勾配が緩やかになった坂の途中に東圓寺はある。瓦を載せた堂々とした四脚門の両脇には、白壁の土塀をめぐらせており、境内はいつも掃き清められているようにとてもきれいである。

東圓寺の縁起

白壁のそばに杉並区教育委員会が建てた東圓寺の案内板がある。

「医王山悉地院東圓寺は、真言宗豊山派の寺で薬師如来像を本尊とし、江戸期に造られた聖観音像も安置されています。開創は天正元年（一五七三）で、備後国（広島県）の僧祐海（一説には秀海）が開山したと伝えられています。

本堂は、徳川家康が入府した頃に九州から出府した三谷氏の発願により改築したと伝え、さらに昭和七年に再改修したものです。

境内にある観音堂は、江戸三十三観音の第十九番札所であり、また六地蔵石像は寛政八年（一七九六）に造られたものでしたが、破損がはなはだしく、近年新たに造立したものです。

墓地入口には、かつての妙法寺道の北側にあった『十三塚の碑』が移されています。このほか、文化財としては康永三年（一三四四）・至徳三年（一三八六）銘の板碑（いたび）が保存されています。

なお、当寺の飛境内（和田一丁目十三番）には御不動様が祀られています。この御不動様は大山不動尊の道しるべであったと伝えられるもので、今も人々の信仰を集めています。

昭和五十六年二月十五日

杉並区教育委員会」

仏さまが盗まれる時代

江戸時代は東圓寺には多くの参詣者があり、観音堂はお香の煙が絶えなかったといわれている。『江戸名所図会』ばかりでなく、地方の寺社を描いた縁起絵などを見ると、片田舎の小さい寺にも必ずといっていいくらいに、何人かの参詣者や子どもたちが遊び、老体が休んでいる姿が描かれている。現代のように多様化した娯楽もなかった時代であったので、人々が娯楽を寺社に求めたことは否定できないであろうが、それにしても昔は今よりずっと死と生というものを心のなかに据えて、神仏と自然にご縁を結んで生活を営んでいたように思えてくる。

昨今、世の中がどうかなってしまったような感じを強く受ける。殺人事件が頻発して、よほど異常か残忍な事件ででもない限りは、人々は驚かなくなってしまった。その一方で危機管理を充実させるために、以前は人の出入りが緩やかであった小学校、中学校、高等学校の敷地は、

観音堂

許可がなくては入れなくなってしまっている。そのうち大学でも身分証明書の提示や、身体検査が行われるようになってくるのではないだろうか。

同じことは寺院でもいえるようだ。何年か前に茨城県のさるお寺が、庫裡続きの本堂から本尊が盗まれるという災難に遭った。そのお寺の話によると、盗まれた本尊は外国で売られる可能性が高いと警察がいっていたとの話である。気を付けなくてはならない。

小さな聖観音をはさんで二体の千手観音

私が初めて参詣したとき、昭和四十三年に再建された鉄筋コンクリート造りで三間四方の観音堂は、本堂や庫裡から離れ、山門からすぐの緑の木立のなかにひっそりと佇んでいた。観音堂は戸が閉まっていた。

二度目のときは、バスツアーであった。そのときは戸が開け放され、札所本尊の観世音菩薩像を拝観することができた。みなその前の境内に立って読経した。三十センチそこそこの、かわいらしい金色に輝く聖観音さまの座像が、黒塗りの厨子のなかに奉安されていた。向かって右手には立像の、そして左手には座像の千手観世音菩薩が安置されていた。どちらもほぼ等身大の色彩豊かな像であった。三体いずれも優しいお顔の観音さまであった。

江戸三十三観音札所における札所本尊と本堂との関係を見てみると、三つのタイプに分けられるのではないだろうか。第一のタイプは、本堂の他に観音堂があるお寺。これに属するのが、近くの十七番の寶福寺、二十二番の長谷寺、三十三番の瀧泉寺やこの東圓寺である。第二のタイプは、もともと観音堂が本堂である寺。一番の浅草寺、三番大観音寺、十三番護国寺、三十一番の品川寺などがこれに属する。第三のタイプは、本堂のなかにそこのご本尊と札所観音さまが一緒に祀られているお寺。五番の大安楽寺、十二番傳通院、二十五番魚籃寺、二十九番高野山東京別院がこれに属する。

三度目に参詣したときには、前もってお寺に電話をして開帳をお願いしたところ、毎日戸を開けているとのことであった。参詣したその朝、山門から境内に入ると、犬の散歩をおえたご婦人が観音堂のそばにおられた。ご住職の奥さんらしい。そこで観音堂の戸が開いているか伺うと、「わずかですが開いております」ということであった。

そこでそっと手で左右に戸を動かすと十五センチほどの隙間ができて、札所本尊と両脇の千手観世音菩薩像の三体と再会することができた。初めて参詣したときも、このように戸を左右に動かせばよかったのである。自分の要領の悪さをそのとき改めて認識した。

　聖観世音菩薩の前には、菊の花ととても艶のよいリンゴとグレープフルーツが供えられていた。堂内がすごく明るくカラフルに見えた。人の心を和ませるようにも思えた。三十センチほどのかわいらしい聖観世音菩薩像と、等身大で

彩色の千手観世音菩薩像との組合せは、すこしの違和感もなかった。

　十六年振りの参詣の際であった。ここでは、バスの案内を非常に丁寧にして頂き、感謝の気持ちでいっぱいになった。

第20番　光明山　天徳寺（てんとくじ）

宗派　浄土宗
札所本尊　聖観世音菩薩

〒105-0001　東京都港区虎ノ門3-13-6　☎03・3431・1039

御詠歌●おぼろ夜の　そらあきらけき　寺の内　心にかかる　雲とてもなし

愛宕山のトンネルのすぐ南に

天徳寺は地下鉄神谷町駅から二百メートルというすごく便利なところにあるが、駅名の神谷町は地下鉄開業当時の町名港区芝神谷町に由来する。現在はこの寺の所在町名は虎ノ門の名がついている。両側が高いビルの連なった桜田通りから少し離れた路地にある。すぐ近くには、かつてのNHKで今は放送博物館が建ち、高さ三十メートルにも及ばない愛宕山がある。

愛宕山というと、讃岐丸亀藩の曲垣平九郎が急な男坂八十六の石段を馬に乗って登り、梅の枝を折って、再び馬で石段を下り、その梅の枝を将軍家光にささげた話が有名である。

この山の頂には愛宕神社があり、井伊直弼を殺害するため水戸浪士らが三月三日早朝に集合して成就を祈願し、ここから桜田門に向けて出発したのである。『江戸名所図会』には、「当山は懸岸壁立して空を凌ぎ、六十八級の石階は畳々として雲をさすが如く聳然（しょうぜん）たり。山頂は松柏鬱茂（うつも）し、夏日といへどここに登れば涼風凛としてさながら炎暑を忘る」と記しているが、どこが愛宕山か、いまはビルのかげに埋没してし

本堂

まっている。
その愛宕山を貫通しているトンネルのすぐ南に光明山和合院と号する天徳寺はある。瓦の載せた土塀の連なった門から寺域に入ると、緑に覆いかぶさった木立の右手に、札所本尊である聖観世音菩薩像を安置している天徳寺の旧本堂がある。浄土宗の寺院でご本尊の阿弥陀如来は正門正面奥の八角形をした本堂に安置している。

小柄ながらすらりとした聖観世音菩薩

バスツアーで参詣したとき、「法要があるので、その時間を避けて参詣してください」とお寺さんからガイドさんは連絡を受けていたそうだ。だがスケジュールの変更などもあって、バスは天徳寺に指定されていた時刻より三十分も早めに到着した。まさに法要の真っ最中であった。残念であったが札所本尊のお姿に合掌することができなかった。やむなく本堂前で全員が読経して次の寺に向かった。ご朱印もそのときいただけず、後日、旅行会社から送付されてきた。参詣予定時刻は、お寺さんと連絡をとって決めているのであろうが、ちょっとしたことで札所の観音さまにお会いすることができないことだってあるのである。

私はそのあと単身で参詣して旧本堂に上げていただき、札所本尊の観音さまにお詣りした。旧本堂内は外から見るよりはるかに広々としており、枯山水の庭園を思わせる境内の一画は、一瞬曹洞宗の寺かと見まがうほどであった。

旧本堂に上がって左手の一間に金銅造りであろうか、金箔の施されていない、すらりとした八頭身の聖観世音菩薩像が立っていた。四十センチほどであろうか、とても古い造りのように私の目には映った。古いがゆえにまた、多くの人々の苦悩を吸い上げ救済してきた有り難い観音さまに思えた。

天徳寺を開いた称念上人

この寺の開基は称念上人といわれている。『称念上人行状記』によると、称念上人は永正十年(一五一三)武蔵国品川郷で生まれた。父は藤田右衛門尉道昭といい母は富永氏で、竹馬のころより英才で多くの人の耳目を驚かしていた。大永元年(一五二一)九歳のときに増上寺七世の親譽上人について出家し、そのとき吟翁といっていたが、後に生涯称名念仏を怠りなく修する決意をして自ら称念と名を変え、修学を続けて戒を受け、三蓮社縁譽と号した。

称念上人は師である親譽上人が遷化すると、下総の飯沼にある弘経寺の鎮譽上人について十六年余り勉学にはげみ、後に武蔵の岩槻の浄

旧本堂

國寺に居を移し、念仏法門に力を注いだ。称念上人はもともと世間の名利を嫌い、隠遁の心があったので、浄安寺を出て江戸に向かい、天文二年（一五三三）江戸城内の紅葉山に天智庵という庵を開創した。この庵がのちの天徳寺である。

ところが、何年か経つとこの庵も法弟に譲って、諸国行脚の旅に出た。駿河の吉原に称念寺を、京都に専称庵、一心院、極楽寺、称念寺、広見寺を開き、天文二十三年（一五五四）七月十九日、声高らかに念仏して午の刻に往生した。四十二歳という。天徳寺を開いた称念上人とはそのような高僧であった。

光明を放つ阿弥陀如来

天徳寺は称念上人が遷化した天文二十三年に、ご本尊の阿弥陀如来が光明を放ち、武蔵、上総、下総の三国を照らす奇瑞を現した。知恩院二十六世の徳誉上人がこのことを聞かれて後奈良天皇に奏上し、天皇から光明山天徳寺の勅額と紫衣の綸旨を賜ったといわれている。そして天正十三年（一五八五）、九世の了随上人のとき霞ヶ関に堂宇を造って移り、その五年後の天正十八年（一五九〇）徳川家康が江戸に入府すると、江戸城拡張のために慶長十六年（一六一一）十世行阿のときに、霞が関を出て現在の虎ノ門の地に替え地をもらって移った。

『江戸砂子』によると、中興の祖といわれた十二世の晃譽上人は、知徳のすぐれた僧侶で大名家の崇敬があって大いに寺が栄え、寺中が十七か寺もあったと記され、現在の五、六倍の規模があったことがわかる。周囲の寺の寺号などを見ていると、もと天徳寺の下寺であった寺が何か寺かあるのがよくわかる。

また、慶長三年（一五九八）には、常陸の国の瓜連常福寺の檀林号（学問所）をこの地に移して檀林に列せられた。元和元年（一六一五）には、家康から五十石の御朱印と下馬札を建てられ、元和九年には秀忠から百石の御朱印をもらい、引き続いて元禄十一年（一六九八）二十一世誓譽のときには五代綱吉から奏上されて、東山天皇から常紫衣寺を賜り、江戸紫衣四か寺の寺格に列せられた。

ロシア使節の宿舎にもなる

そのようなことがあって、越前、出雲、津山松平家など十数藩の大名家菩提寺として幕末まで及んだという。また公家たちの江戸下向の際には宿所として定められた。安政六年には、カラフト・国境問題で来日したロシアの使節ムラビエフの宿舎にも定められ、若年寄遠藤胤統（たねのり）らとの交渉の会場にもなった。ムラビエフは、カラフトは全島がロシアの領土だと強調し、なかなか問題が解決されず、ロシアの船と天徳寺の間を往来して折衝を重ねたがまとまらず、この問題は明治になって新政府が解決したのである。

　この寺には港区指定文化財の「弥陀種子板碑」がある。五十センチほどのかわいらしい板碑で、阿弥陀を表す梵字を蓮華座の上に刻したもので、永仁六年（一二九八）七月という文字がある。かなり古いものである。

　門内の右手に旧本堂があり、札所観音菩薩が安置されている。御朱印を頂いた際に、「上って観音さまにお詣り下さい」とご住職に案内して頂いた。すらりとした聖観音さままで実に十六年ぶりの再会であった。

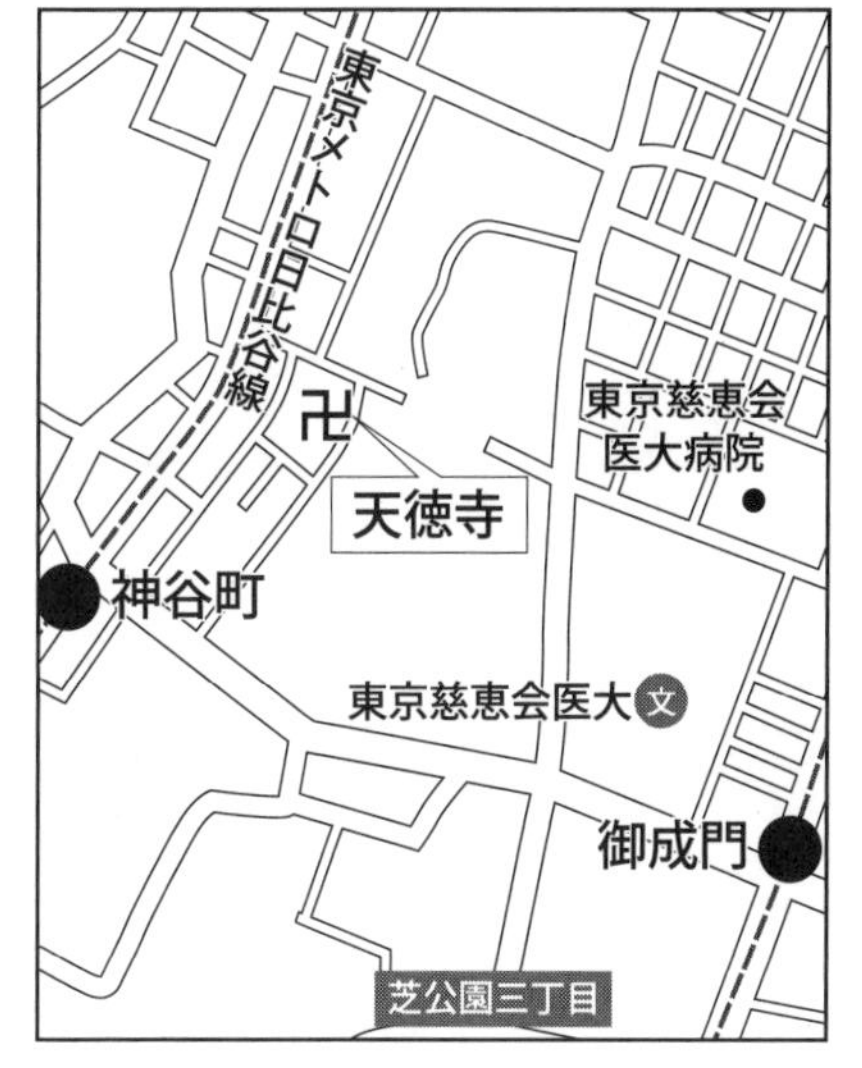

第21番　三縁山　増上寺（ぞうじょうじ）

〒105-0011　東京都港区芝公園4-7-35　☎03-3432-1431

御詠歌●ありがたや　西向観音に　詣る身は　現世安穏　後生極楽

宗派　浄土宗・大本山
札所本尊　西向聖観世音菩薩

家康が二十万坪の寺域を寄進

　増上寺は浄土宗四大本山の一つで、正式には三縁山広度院増上寺という。寺伝によると明徳四年（一三九三）、現在の平河町付近の貝塚にあった真言宗の光明寺を、浄土宗の八世西誉聖聡上人が改宗して増上寺と改め開創し、文明二年（一四七〇）増上寺三世の音誉聖観上人の代に、後土御門天皇の勅願所となった。そして天正十八年（一五九〇）徳川家康が江戸入りしたとき、菩提寺として二十万坪の寄進を受けて芝の現在地に移し、十二世の存応上人が紫衣と永代常紫衣の綸旨を賜ったといわれている。また江戸時代は浄土宗の学問所である関東十八壇林の筆頭になっていた。

　現在の上野公園が十八万坪というから、二十万坪という当時の寺域はその広大さが想像されよう。現在の東京タワーあたりから浜松町駅付近までが寺域であったのである。ところが、昭和二十年の戦災に遭って、一部を除いてすべてを焼失してしまった。

　現在の増上寺の象徴は、日比谷通りに面した重要文化財の五間三戸で重層入母屋造りの三門

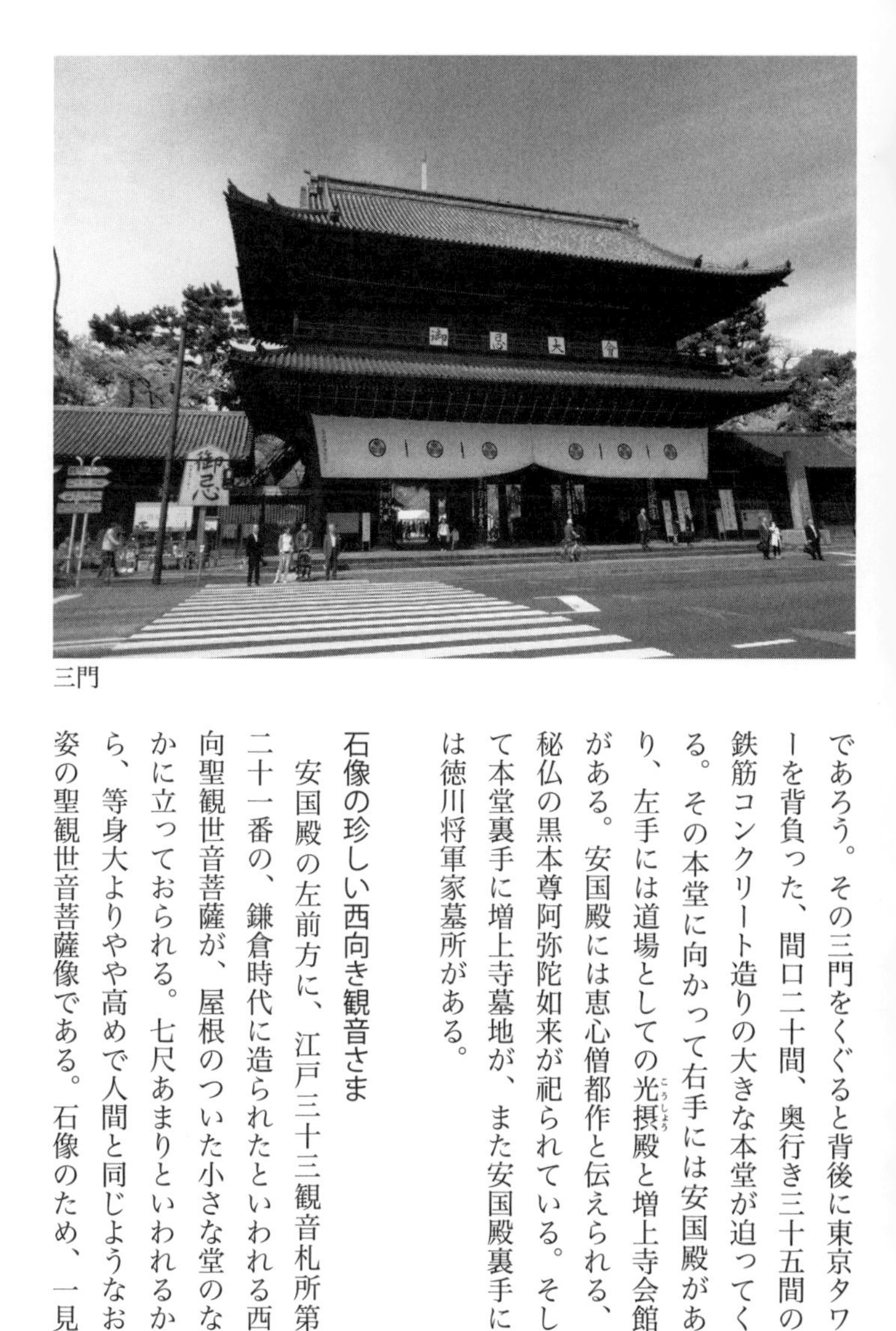

三門

であろう。その三門をくぐると背後に東京タワーを背負った、間口二十間、奥行き三十五間の鉄筋コンクリート造りの大きな本堂が迫ってくる。その本堂に向かって右手には安国殿があり、左手には道場としての光摂（こうしょう）殿と増上寺会館がある。安国殿には恵心僧都作と伝えられる、秘仏の黒本尊阿弥陀如来が祀られている。そして本堂裏手に増上寺墓地が、また安国殿裏手には徳川将軍家墓所がある。

石像の珍しい西向き観音さま

　安国殿の左前方に、江戸三十三観音札所第二十一番の、鎌倉時代に造られたといわれる西向聖観世音菩薩が、屋根のついた小さな堂のなかに立っておられる。七尺あまりといわれるから、等身大よりやや高めで人間と同じようなお姿の聖観世音菩薩像である。石像のため、一見石の地蔵さんといった感じがしないでもない。西向きに立っているので西向聖観世音菩薩といわれている。その前には風車を手にした千体の水子地蔵が、整然と並んでいる。風のある日には、風車が音をたててクルクルと回っている。ときどき参詣者が来て、線香を手向けている。大きな増上寺にあっては、本当にかわいらしい観音さまである。

この石造りの札所本尊は、北条時頼が諸国回遊のとき、すぐ近くにある丸山古墳群の上に西向きに祀ったという。当時は、古墳群の北に池などあって風雅な憩いの場所でもあり、辻堂に出家者が住んでいて街道を行く人々にお茶の接待をし、道中安全、子育て開運の信仰を集めていたそうだ。昭和五十年に浄土宗開宗八百年を記念してお堂をこしらえ、いまの場所に移されたのである。堂内に売店などもあり、納経は黒本尊の安置してある安国殿内でいただく。

バスツアーでの巡拝のときは、山門近くで出迎えてくれた若い僧に誘導されながら諸堂の説明を受け、札所本尊のところまで案内された。みんなはその辺りに散らばって、先達さんに従って読経をした。そのあと増上寺会館内の食堂で昼食をいただき、昼過ぎからこの会館の座敷で、三十代半ばとお見受けした浄土宗の布教師の方から法話をいただいた。

「僧侶の先達さんがおられますと、お話しするのが少しやりづらいものです」

と正直にいわれて、念仏と法然上人についてのお話しを実に謙虚に真剣にされた。あとで先達さんは「実に良い話をされていましたね」と感じ入っておられた。

本堂

廃仏毀釈の嵐のなかで

増上寺は、江戸時代には二代秀忠、六代家宣、七代家継、九代家重、十二代家慶、十四代家茂の将軍・夫人・子女たちが葬られている。また徳川家の庇護のもとに栄えて子院が五十を超え、学僧が三千人もいたという。寺領もはじめは千石であったが、のちに一万石を超えた。他に蔵米四千俵ももらっていたというから、経済的にはかなり余裕があったと思われる。

秀忠こと台徳院の廟所は、本堂南にあった元芝ゴルフ練習場にあって、二千坪を超す広さをもっていたようだ。そばに五重塔が建ち、参道入り口には極彩色の惣門があった。また将軍家宣・家継らの廟所は、ほとんどが東京プリンスホテルとその前面の駐車場にあった。家継こと有章院の廟所の参道入り口には、広目天と多聞天が祀られている二天門が建っていた。当時の写真を見ると、それら廟所の外観は日光東照宮のようにきらびやかで、屋内は石や青銅の宝塔を中心に奉安され、中尊寺の金色堂のようにまばゆいくらいであった。とりわけ台徳院の廟所が豪華であったという。増上寺の境内にはこのような建物が大小七十もあり、江戸第一の名所としていつも参詣者で賑わっていたそうだ。

明治維新の前後は混乱の時代で、大きな社会変革をもたらした。新政府は宗教界に対して神仏分離法を出し、「祭政一致」と「神仏分離」を旗印として、神社にいた僧侶に蓄髪させ、仏像を神社から追い払った。日本全国で予想外の廃仏毀釈の暴挙が頻発し、寺は至るところで廃寺に追い込まれたり、打撃を受けたりした。

江戸三十三観音札所のなかでも、特に徳川家と緊密な関係にあった傳通院、護国寺、金地院、そしてこの増上寺などがその最たるものであった。増上寺の境内の一部が芝公園になったのもこのときである。

再建された徳川将軍家霊廟

ようやく世の中が治まって神仏が崇拝されるようになったが、第二次世界大戦の末期になると、残念なことに昭和二十年五月の空襲によって、三門、御成門、惣門、二天門を残し、すべて灰燼に帰してしまった。観音さまは、その地獄絵をどんな想いで間近に目撃されたのであろうか。お身体に傷は負わなかったのであろうか。御詠歌にあるように、参詣する人々の現世安穏・後生極楽という願いを聞き届けてくださる。まことに有り難い西向きの観音さまである。

昭和二十七年に仮本堂が再建され、昭和三十三年にはその裏手およそ三百坪の土地に、八基の将軍と夫人たちの宝塔が徳川家霊廟としてまとめられた。この徳川家霊廟は有料での拝観ができる。私は桜が満開の一日と、バスツアーでの参詣のとき拝観する機会にめぐまれた。奥の右手に秀忠の石の宝塔、左手に家宣の青銅の宝塔があり、それぞれの側に三基の宝塔が居流れるように立っている。空襲前とは比較にならないくらいに縮小されている。

　東京タワーに登って見下ろすと、すぐ足下に増上寺の寺域が広がっており、参詣する人々の姿が小さくなってアリのように見えた。江戸三十三観音札所のご本尊で石造りの観音さまは、ここ増上寺の観音さま、ただ一基である。

第22番　補陀山　長谷寺（ちょうこくじ）

宗派　曹洞宗
札所本尊　十一面観世音菩薩

〒105-0031　東京都港区西麻布2-21-34　☎03・3400・5232

御詠歌●うららかや　麻布の台の　長谷寺　空吹く風も　法を説く声

家康が幼なじみに開かせた寺

山号を補陀山と号する曹洞宗の長谷寺は、大本山永平寺別院で、札所のご本尊は十メートルもある巨大な十一面観世音菩薩である。縁起によるとその昔、このあたり一帯は「渋谷が原」といわれ、その一角に、奈良の長谷寺（はせでら）の本尊十一面観世音菩薩を彫造した木片で作られた、小さな同型の観世音菩薩像を安置したお堂が建っていた。

徳川家康は江戸に幕府を開くと、幼なじみの門庵宗関禅師（もんなんそうかんぜんじ）を招いて、いくつかのお寺を開かせたが、このお寺もそのうちの一つで、山号を補陀山と名付けて正式なお寺とし、およそ二万坪の寺領を与えたといわれている。山号は観音さまの霊場である中国の補陀洛山から命名されている。

その後、奈良と鎌倉の長谷寺にある同じ高さの十メートルを超える十一面観世音菩薩の大観音とお堂を建立し、古い小さな十一面観世音菩薩像を胎内に納め、江戸三十三観音札所の二十二番に選ばれて、大変賑わったといわれている。

法堂

明治維新のあとは世上の混乱に遭ったが、宗門の僧侶養成機関「専門僧堂」を開設し、大正のなかばには大本山永平寺の東京出張所として寺務を司ってきた。しかし、まことに残念なことに、関東大震災によって大観音堂をはじめ多くの建物が焼失し、それに追い打ちをかけるように、昭和二十年の東京大空襲によって堂宇もご本尊も焼失してしまったのである。それでも、四年後の昭和二十四年に永平寺東京別院となり、昭和四十二年には禅の専門僧堂として東京の修行道場になった。以上が縁起の内容である。

縁起に記されている宗関禅師は、今川義元の嫡男氏真の三男で、家康が人質として駿府にいたころからの幼なじみで、親しいことから召されて長谷寺に移り、その後は下野国の大中寺、傑岑寺、江戸の龍雲院に転じ、元和五年

（一六一九）、高輪泉岳寺に隠居して七十四歳で亡くなったという。江戸時代には、この寺の境内は三万坪とも四万坪ともいわれて、古い松や杉が天をおおって大門から中門までは三町もあり、左右に大きな木立があって景色がとてもよかったそうである。『江戸名所図会』の挿絵には、「渋谷長谷寺」と記され、惣門、中門、観音堂、本堂が広々とした寺域のなか、一直線上に描かれている。

とてつもなく巨大な観音さま

私は三月の下旬のよく晴れた朝に、長谷寺を初めて参詣した。山門を入るとその先に法堂（一般寺院の本堂）があり、右手に観音堂がある。私はまず法堂に向かった。堂内ではまだ若い古参和尚から、より若い修行僧がきちんと正座して指導を受けていた。われわれ参詣者には誰一人関心を示さず、熱心に習儀に集中していた。次に観音堂に向かい、堂内に入って思わず息をのんだ。目の前にとてつもない巨大な観音さまが立っていたからである。とにかく圧倒されてしまった。写真を撮っていいのか悪いのか、そんなことも考えられないほど、とまどってカメラのシャッターを押すことも忘れてしまった。

この観音さまは戦火で焼失した御像の代わりに、くすのきの一本彫りで造られている。高さ三丈三尺（九・五五メートル）、光背を含むと十二メートルにも及ぶこの十一面観音像は、芸術院会員の大内青圃（せいほ）さんが十年もの歳月をかけて大成させたのである。昭和五十二年に開眼供養が行われた。間口六間二尺（十一・五メートル）、奥行き七間二尺（十三・三メール）、高さ十六メートルの重層入母屋造りの大観音堂に安置され、「麻布大観音」として人々から親しまれている。この観音さまは光背に釈迦の座像を七体刻み、その周りに六センチくらいの小観音を千五百体祀り、長谷寺型式といわれる錫杖を持っている。

観音堂

造仏のありさまが手に取るように

幸いというのか、大内さんの奉造日記が奥さんの貴美子夫人の筆によって、昭和五十二年の『大法輪』に「麻布大観音奉造日記抄」として、三回にわたって掲載されている。この造仏は苦労の連続であったようだ。

まず、昭和四十二年に福岡県の林のなかで、高さ十メートルあまり、樹齢三百八十年の楠が見つかり、現在、観音堂が建てられているところにその巨木が運び込まれた。そして、翌十月末から造仏が始まり、昭和五十二年三月三十日完成した。奉造日記は、その間を詳細にきわめてわかりやすくつづられる。腰痛に悩まされ、糖尿病にかかり、ヘルペスを病み、病気を押しての造仏である。どうしたら大内さんを再起させられるか、読者をハラハラドキドキさせる。

昭和四十八年には横になっている像を立てた

ことがある。鉄骨で足場を組んでテントを張り、何台ものレッカー車を使用して太いワイヤロープで三方から支えて、サラシに巻かれた像が立ったのである。「そこには青空と観音様だけしかありませんでした」と、記されているが、その情景が目に浮かぶようである。

そして昭和五十一年十月の大安の日に、うつ伏せになっていた観音さまを立てる相談がまとまり、未完成の観音堂に入れることになった。サラシで頭部を巻いてコロの上をすべらせ、五十メートル先にある観音堂まで運び、チェーンブロックで立たせた。初めコンクリートの台座を予定していたが、途中で固い木の台座に変更した。観音さまは揺れながら、その台座に何時間もかかって、キッチリはめ込まれていったのである。その様子は、「麻布大観音奉造日記抄」を読むと、臨場感にあふれて、読む者を一緒に造仏しているような思いにさせてくれる。

ここにも鶴の恩返し

バスツアーで参詣したとき、バスから全員が降りて観音堂に入った。初めて見る方はその大きさに驚きの声を発していた。多くの参詣者には、悲しみや苦しみをすべて吸い取ってくださる仏さんに思えたことであろう。読経のあと、わたしは堂内におられた僧の方に、観音さまを撮影してもいいかとうかがった。「どうぞ」といわれ、ファインダーから覗いたが、大きすぎて観音さまの全景が収まらなかった。

入口近くにある墓地には、明治の元勲井上馨、画家の黒田清輝、喜劇役者エノケンこと榎本健一、また橋本左内の弟で軍医総監子爵・橋本綱常、坂本九、横綱朝潮太郎の墓などがある。堂内にしても境内にしても、チリ一つ落ちていないような清潔感あふれる寺院という印象を強く受けた。

江戸時代、この寺にはできものによく効く三枝九葉草があり、よく売れたそうである。昔、年老いた鶴が、自分の産んだ卵をふ化してくれたお礼に、枝が三つあり葉が九枚ある三枝九葉草を、長いくちばしにくわえて飛んできて住職に渡した。それを煎じて飲むと病もたちどころに治り、部屋に吊るしておくと盗難から守られ、毒虫からも守られる妙薬であった。『江戸砂子』には「積（咳）の薬也。諸人うけ求む」と記してある。

十六年振りに見上げた観音さまはとてつもなく高かった。

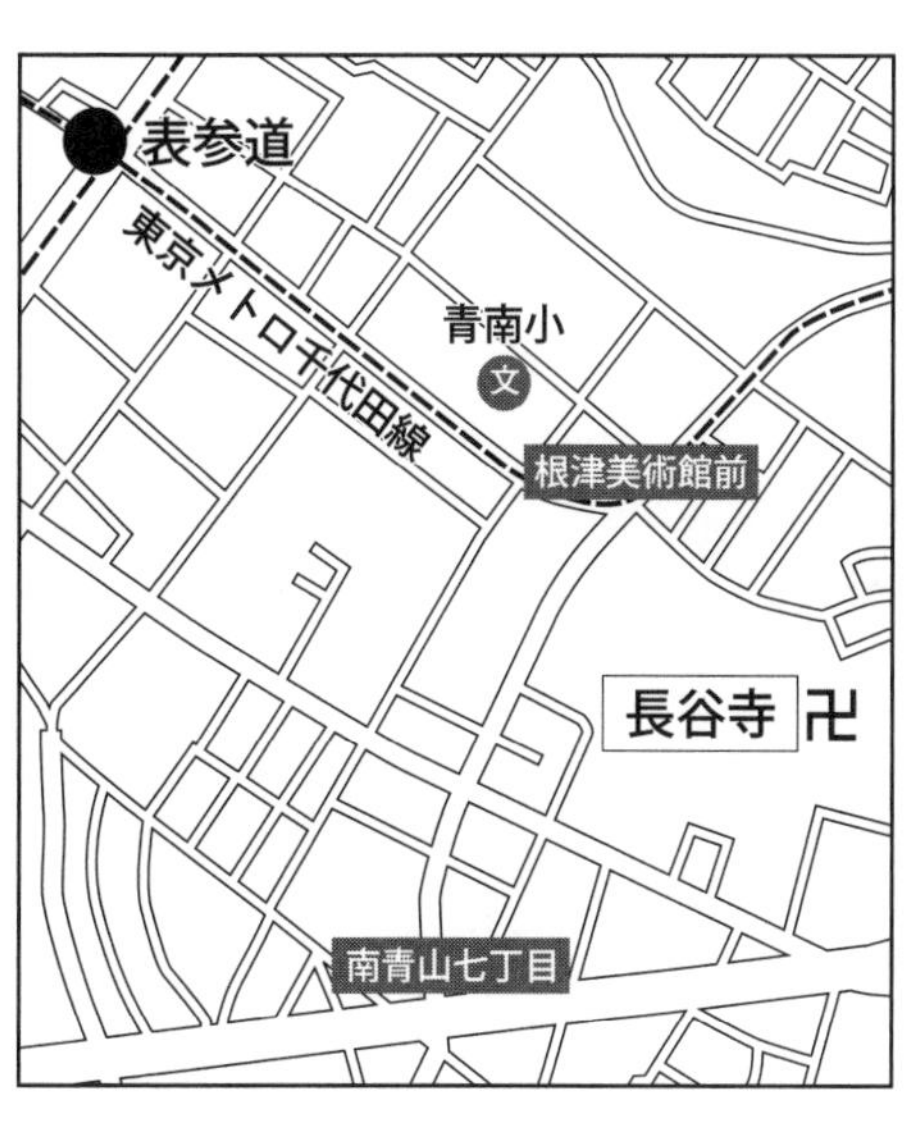

第23番　金龍山　大圓寺（だいえんじ）

宗派　曹洞宗
札所本尊　聖観世音菩薩

〒113-0023　東京都文京区向丘1-11-3　☎03・3813・1321

御詠歌●逆縁も　もらさで救う　観世音　我が身はなれず　添いたもうなり

ほうろく地蔵として有名なお寺

文京区向丘にある都立向丘高校の校舎がすぐ隣にある大圓寺は、山号を金龍山と号する曹洞宗の寺である。山門を入るとすぐ突き当たりに、左手に錫杖を右手に如意宝珠を手にして、笠のように素焼きの浅い土なべの焙烙（ほうろく）を頭に乗せた、「ほうろく地蔵」を安置しているお堂が目に入る。病を持つ人は治したいと思う病名を焙烙に書いて、地蔵の頭に乗せると治るといわれている。そのためこのお寺は通称ほうろく地蔵といわれている。焙烙は今でいえば給料の俸禄にも通じているようで、祈願すると俸禄も良くなるそうである。本堂は、ほうろく地蔵堂の向かって左手の参道の突き当たりに建っている。その参道左手には、高い露座のうえに石造りの地蔵菩薩と銅製の観音菩薩の立像が安置されている。

大圓寺は、慶長二年（一五九七）、江戸町奉行、勘定奉行などを勤めた旗本の石河（いしこ）土佐守勝政が開基となり、分福茶釜で名高い上州館林の茂林寺十二世久山正雄大僧正が、神田柳原に開創し、そのあと慶安二年（一六四九）に現在地

本堂

を拝領して移転してきたと伝えられている。以来四百年を経過し、昭和の初めに二十九世の法秀太元和尚が、観音さまの大きな力によって難病を克服し、起死回生の喜びを得ることができたので報恩感謝の業を志し、七観音の尊像を建立することを発願したという。

そこで法秀太元和尚は高村光雲翁に七観音の謹作をお願いしたところ、光雲翁も前々から、東京に昭和の観音さまの尊像を残したいという念願を持っていたので快く引き受けられ、一丈余りの観音さま七体が勧請され、多くの人々の参詣する新しい観音霊場となったのである。

ところが、第二次大戦中に米軍の空襲によって、大変残念であったが、その七観音の尊像がすべて烏有に帰してしまった。しかし、光雲翁が心血を注いで造った尊像の胎内仏が、不幸中の幸いにも疎開していたために無事で、翁の門下生の人々によって、光雲翁の作ったものと同じ七観世音菩薩の尊像が再現されたという。

再現された高村光雲の七観世音菩薩

私は初秋のある朝、庫裡から本堂内に上げていただいた。座敷を通して植え込みの裏庭が見える。枯山水のいかにも禅寺にふさわしい落ち着きのある庭である。ふと都会にいるのを忘れてしまうような雰囲気が座敷に満ちている。ご住職の接待にもその気配が染み込んでいるようだ。座敷を通って本堂内に足を運ぶ。

中央の奥まった須弥壇にはこの寺のご本尊である釈迦如来が祀られている。その向かって右側の一間には札所本尊の聖観音像をなかにして左に不空羂索観世音菩薩が、右に千手観世音菩薩が、その前に座像の如意輪観世音菩薩と准胝観世音菩薩がお揃いである。如意輪観音像の前にはとてつもなく大きな木魚が座布団三枚の上にどっかと腰を下ろしている。またご本尊の左手の一間には阿弥陀如来をなかにして馬頭観世音菩薩と十一面観世音菩薩が両側に立っておられる。

七観世音菩薩が安置されている空間はとてもきらびやかである。窓が開け放され、初秋の清々しい空気が堂内に流れている。すぐ隣は向丘高校があるが、音らしい音がしない。枯山水の庭に入って、おのずと騒音が吸収されてしまうのであろうか。堂内で一人座って多くの仏さんに見守られていると、心が自然に和んでくる。

札所本尊が、ある本には聖観世音菩薩、またある書には七観世音菩薩とまちまちに記されている。ご住職にそのことをお伺いすると、聖観世音菩薩が七観音の基本であるので、江戸三十三観音札所のご本尊は、聖観世音菩薩との

ほうろく地蔵

ことであった。いわれてみれば、バスツアーでの参詣の折りには、本尊真言として「おん　あろりきや　そわか」と聖観世音菩薩の真言を称えていた。なお他と比較するときには、札所本尊は七観世音菩薩であるそうだ。

不空羂索観世音と准胝観世音

江戸三十三観音札所の札所本尊には、不空羂索観世音菩薩と准胝観世音菩薩は見られない。特に准胝観世音菩薩はあまりわが国では祀られていないので、この寺に安置されていることも大変珍しいことである。この二つの観音さまについて少し述べておきたい。

不空羂索観世音菩薩は多くの手を持っていて、その多くの手に斧や法輪や数珠などをもって障害を除いてくれる。不空羂索は「ふくうけんさく」あるいは「ふくうけんじゃく」と読んでいる。また「不空」というのは、何もないという意味ではなく、空ではない、つまり確実という意味合いがある。「羂索」とは絹で作った網や縄のことで、洩らすことなく、確実に捕らえることができるという意味がある。だからこの観音さまは苦しんでいる人を洩らすことなく確実に救ってくれる観音さまということになる。元を正すと、索を用いたインドの狩猟漁労の神が転じたといわれている。奈良時代に盛んに信仰されたそうだ。東大寺の三月堂に安置されているご本尊が、この観音さまである。

准胝観世音菩薩は、人間と同じように顔はひとつであるが、目が三つで手が十八本あるのが一般的であるそうだ。その手には斧、剣、蓮華、数珠などを持っている。准胝観世音菩薩の准胝は、サンスクリット語の「チュンデー」（清浄）から来ている。その言葉には井戸とか泉という意味があって、水はすべてのものを清めるという考え方が底流にある。また、性ともつながって考えられるので、仏母かすべての菩薩の母と呼ばれることもあるそうだ。

しかし、観音さまのシンボルともいわれる宝冠には、必ずあるはずの化仏をつけていない像があるので、観音と区別する見方もある。また心が清らかになることを願う観音さまであり、直接の現世利益からは離れるため、あまり人々の信仰を受けないようである。この観音さまは数少ないが、西国観音札所の京都・上醍醐寺の本尊（秘仏）や、奈良・新薬師寺の像がある。

なお、ほうろく地蔵は、一説によると、何代目かのご住職の夢にほうろくをかぶった地蔵が現れて、「この熱いほうろくをかぶるからお七の罪を許すように」と告げたことから、八百屋お七の身代わり地蔵ともいわれるようになった。また別の説によると、お七が火事で避難したのはこの大圓寺ともいわれている。この寺の前の坂はお七坂といわれており、その坂を下ると、お七の墓のある圓乗寺がある。

境内の外の道を挟んでこの寺の墓地があり、織田信長の孫で越前大野四万五千石、織田秀雄の板碑のような供養塔、自筆の死亡広告を出した奇人で明治時代の小説家・評論家である斎藤緑雨の幸田露伴の筆になる墓碑銘のほか、幕末に洋式砲術を採用し実施した高島秋帆の国指定史跡の墓石がある。

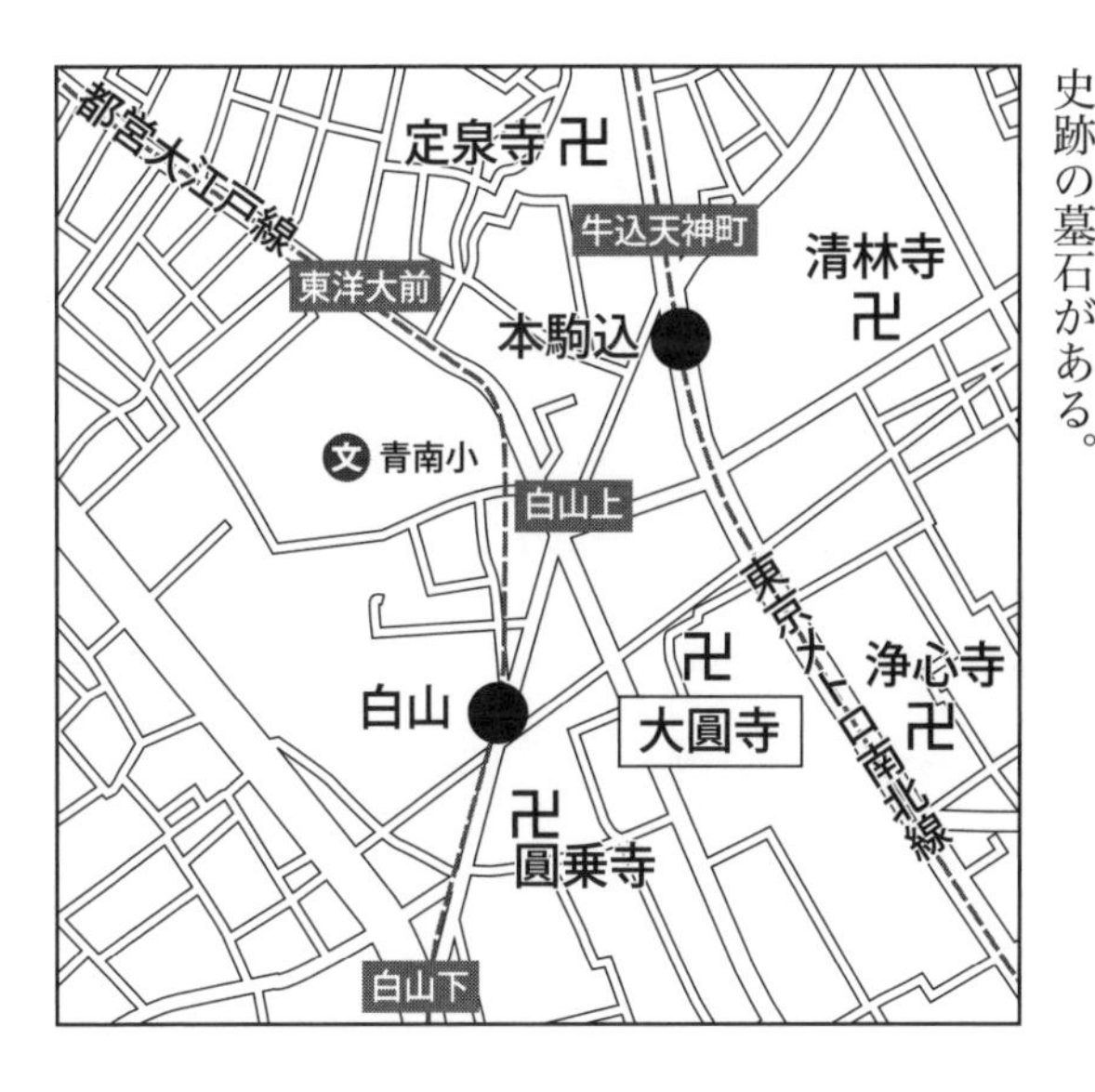

第24番　長青山宝樹寺　梅窓院（ばいそういん）

宗派　浄土宗
札所本尊　泰平観世音菩薩

〒107-0062　東京都港区南青山2-26-38　☎03・3404・8447

御詠歌●あこがれて　天つみそらに　眺むれば　心に見ゆる　慈悲の面影

山の手六阿弥陀の一つ

外苑前の青山通りに面している長青山宝樹寺梅窓院は浄土宗の寺である。いただいたこのお寺の略史によると、梅窓院は寛永二十年（一六四三）徳川家康の家臣で老中の青山大蔵小輔幸成（よしなり）が、徳川家康から賜った青山の広々とした下屋敷の土地に、一万三千坪の地を画し、その側室で法名「長青院殿天譽利白大姉」を大檀越として建立したという。院号は青山幸成の「梅窓院殿香譽浄董大禅定門」の法名から採って梅窓院、山号は側室の法名から採って長青山と名付けられた。ちなみに青山という地名は、下屋敷のあった青山家の家名から取られている。

梅窓院の開山は、後にこの寺に隠居した増上寺二十三世遵譽貴屋上人の弟子である戴蓮社頂譽上人冠中南龍老和尚であるが、また増上寺十二世中興普光観智国師を勧進して開山祖としたとも伝えられている。そして以後、青山家の菩提寺として今日まで十三代の御霊を祀っている。

このお寺のご本尊は聖徳太子作の阿弥陀仏で、山の手六阿弥陀の五番として信奉されてい

入口

る。ちなみに山の手六阿弥陀とは、一番四谷の了学寺、二番四谷の西念寺、三番青山の高徳寺、四番青山の養光寺、六番赤坂の竜泉寺である。

難病や厄難にあらたかな泰平観音

さて、このお寺の札所本尊の観音は泰平観世音菩薩である。伝えるところによると唐招提寺の開基鑑真和尚が中国から招来し、奈良の東大寺大仏殿に奉安していたが、源頼義が奥州討伐のときにその霊像を念持仏として陣中に持参し、守護としたという。そして奥州の地がその功徳によって泰平になると、「泰平観音」と名付けられ、南部の領主に伝わった。その後江戸時代に入り、盛岡藩十万石南部信濃守行信の姫君が、尼ヶ崎藩四万八千石の青山幸督（よしまさ）に輿入れした際に、お内仏として青山家の仏間に奉安されたといわれている。そして、梅窓院が堂塔を整備して観音堂を建築したとき、この泰平観世音を奉安したのである。『江戸名所図会』には、御丈三寸三分の千手大悲の霊像と記されている。また『江戸砂子』によると、この観音さまは奇瑞が多く、難病や厄難の者が祈ると不思議のしるしがあると記されている。

墓地は、飯山、宮津、郡上と移った青山家のもので、郡上藩四万八千石の藩主以下一族百四十五人が数基の合祀碑に葬られている。そのなかで幸敬のものは、キリシタン灯籠を墓石に利用している。足の部分の笠石が十字架の変形で、マリア像とラテン語で刻まれている。また戦前には、毎年三、十七、二十三の縁日に夜店も出て非常に賑わっていたそうだが、昭和二十年の東京大空襲で無碍光会館を除いてすべて焼失してしまった。

親切な対応に感動

平成十四年三月の彼岸の入りの午前中に、この寺に参詣して大変驚いた。青山のシンボルともいうべき無碍光会館はじめいくつかの建造物が姿を消して、大工事の最中であったからである。思い起こせば昭和二十七年から学生野球観戦のため、私は地下鉄駅出口で友人たちと待ち合わせをしながら、大通りの向かいの梅窓院の山門をよく眺めていたものである。あるとき、駅に早く着きすぎたので境内に入れていただき、勝手に墓地を徘徊したことがある。境内が千七百坪もあり、その他に墓地が二千五百坪もあって広々とし、そのなかを歩いて心が和んだ経験を持っている。

その後も外苑に行くため地下鉄駅を利用していたが、その日、裏の坂道から墓所に足を踏み入れ、遮蔽柵の隙間から地下工事を垣間見て、

一階に観音堂があり、二階には本堂がある。

予想もしなかった大工事に驚嘆してしまったのである。われわれ素人の目には永遠不滅のものと思っていた無碍光会館が、老朽化で解体されてしまっていた。わたしは墓地散策の後、入口の花屋さんに本堂の所在を尋ねた。女性店員の方はにこやかに仮本堂の見えるところまで案内してくれた。仮本堂内では、観音さまの安置場所を尋ね、お寺の縁起を求めた。

そのとき仮本堂の中央に、源頼義のころは千手観音であったが、今はそのお心を受け継いだご本尊の泰平観世音菩薩が安置されていた。宝冠をいただき、左手にはまだ開いていない蓮のつぼみの茎の下方を持ち、右手は左手と同じ高さに掲げていた。そして、頂に三本ずつの放射線状の光背を八方に放って、金色に輝いていた。

彼岸の入りで参詣者等の出入りがかなりあったが、寺務の方がとても親切に快く対応していただき、帰りに広報誌『青山』をもらうことができた。帰宅して『青山』を見ると興味のある記事があった。バックナンバーがあるかどうかを電話すると、「保存しているものはお送りする」とのことで、日を経ずしてバックナンバーが送付されてきた。その後も『青山』は送られて今に至っている。

お寺にとって、そのような寺務方の対応は当たり前のことと思われるかも知れないが、親切を見ることが少なくなった昨今とても感動した。ご住職の人柄と、この寺院に係わる人々の信仰と善意を見る思いがした。都会の真ん中に位置する大きな寺院であるので、ちょっと敷居が高いように思われるが、どうしてどうして門戸を大きく開いて、気楽に入れるお寺である。文化講演会を開いたり、国内外の旅を企画して、積極的に仏教布教をしている寺院でもある。

お寺にも変革のうねり

新建築の寺院を設計されたのは、日本を代表する建築家の隈研吾さんである。新聞記事（朝日新聞　平成十五年九月十三日）によると、梅窓院のご住職が十年も前に、「ホテルを設計して」と訪ねてこられ、意気投合して設計したと紹介されていた。氏は地方で大工さんやその他の職人たちと話し合って、地に足のついた技術を知り、建築のほんとうの面白さに目覚めたと語っておられた。

バスツアーで参詣したときには、新しい本堂が完成していた。寺院と付属の住宅が入った四階建ての近代的なビルに変身していた。観音堂に向かったが、法要中であったので、孟宗竹の竹林のなかの参道で読経した。ほとんどの人は、とても寺とは思えない寺院の姿に戸惑っているように見えた。

二十一世紀に入って、さまざまな世界で大きな変革のうねりを感じる。政界でも派閥の存在意義が薄れてきており、スポーツ界でも野球だけがスポーツでなくなり、また常勝巨人が優勝をさらわれる時代を迎えている。同様に宗教界でも、法要に正座を強要しなくなり、また椅子を用意するところが増えてきた。古いしきたりなどに固執していると取り残されてしまう。お寺の建物も、旧来の寺院建築でない建物があちこちで見られるようになってきている。これが時代の流れというものであろう。

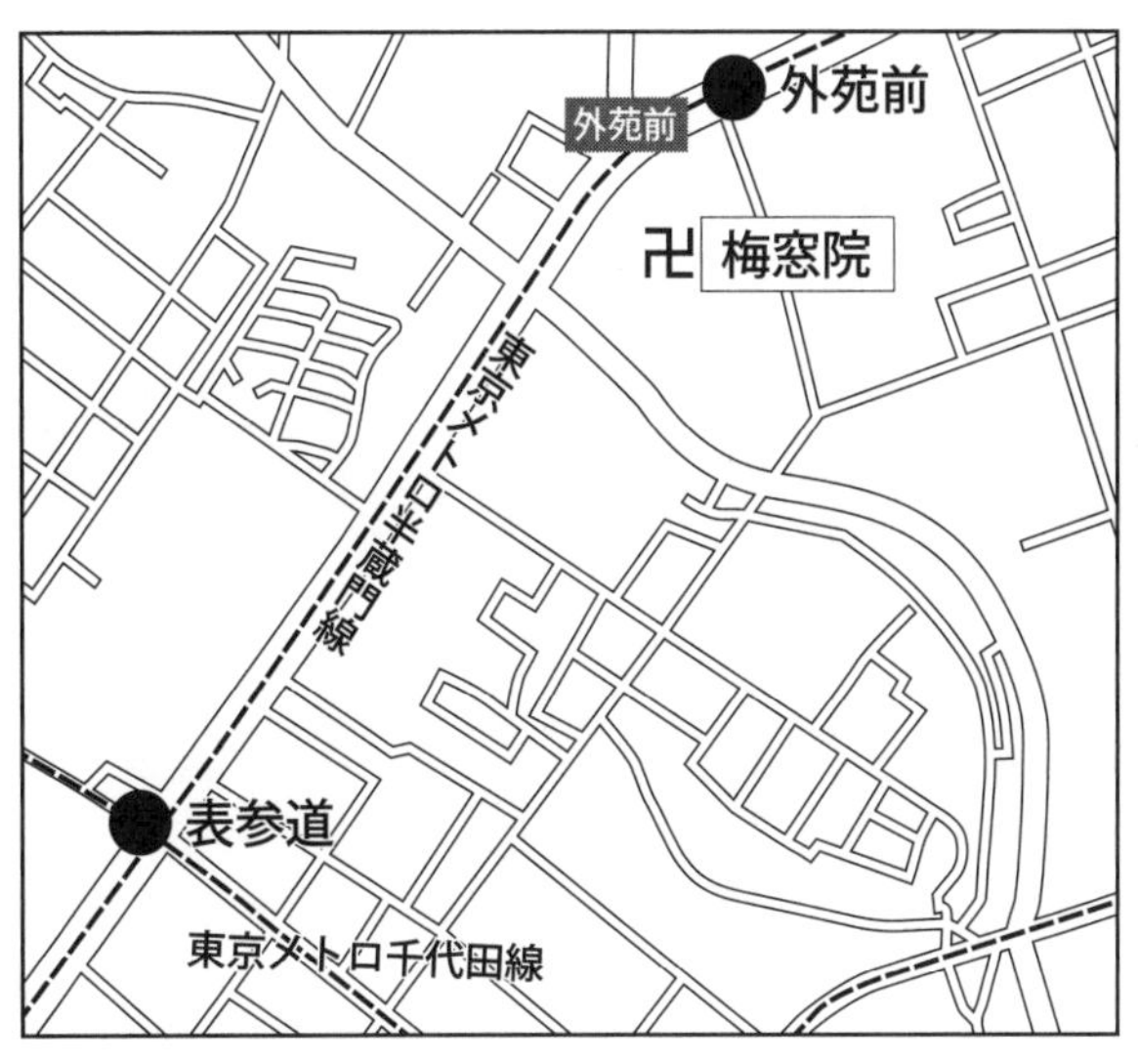

第25番　三田山　魚籃寺（ぎょらんじ）

宗派　浄土宗
札所本尊　魚籃観世音菩薩

〒108-0073　東京都港区三田4-8-34　☎03・3451・5677

御詠歌●身をわけて　救う乙女の　魚かごに　誓いの海の　深さをぞ知る

一年に一回開帳される秘仏

浄土宗に属する三田山水月院魚籃寺は、地下鉄の「白金高輪」駅を下車して魚籃坂を登っていくと、その途中に朱色の山門が建っているのですぐわかる。駅からわずか五分という便利なところにある。五百メートル南東に二十七番の道往寺があり、直線北東の同じ距離に二十六番の済海寺がある。ご本尊は浄土宗であるので阿弥陀如来であるが、札所本尊は秘仏の魚籃観世音菩薩で、普段は厨子のなかに奉安されている。魚籃とは魚をいれるかごのことである。

ご開帳は一年に一回で、平成十六年までは七月九日の大施餓鬼（せがき）法要の日であった。私がご開帳の魚籃観音さまに参詣したその日、本堂内には真新しい七十を超す卒塔婆が壁板に並べられ、大勢の檀家の方や信者の方がお見えになっていた。厨子のなかの札所本尊のお姿は、下陣からは見えない。ご本尊を十倍も大きくした、等身大のお前立ちの魚籃観世音菩薩の前で、ご住職の張りのある読経が続く。そばには梵天、帝釈天が、また内陣の四隅には持国天、増長天、広目天、多聞天の四天王がお祀りされていて、

山門

内陣はとても賑やかな雰囲気である。

法要が終わるとご住職が、「魚籃観音さまにお参りください」といわれた。何人かの方が、お前立ての後ろの小さな黒塗りの三段ほどの階段を昇って参詣していた。私もそれに従った。

魚籃観世音菩薩は、頭髪を唐様の髷に結んだ乙女が、右手に魚を入れた竹かごを提げ、腰の辺りにおいた左手で裳裾を少し引いている立像である。木像で身長は六寸（十八センチ）のかわいらしい札所観音である。私はご住職に尋ねた。

「ご開帳が七月九日なのは、なぜでしょうか」

「四万六千日ですから。でも、こう暑くては」

ご開帳の日を変更しなくては、とにおわせながら話された。七月九日から十日にかけて観音さまを参詣すると、四万六千日（約百二十六年）分と同じ功徳があるとされている。

中国から伝わった魚籃観世音菩薩

この寺に伝えられている巻物の『魚籃観世音菩薩御縁起』によると、中国は唐の玄宗皇帝の時代（八〇六～二四）、金沙灘（きんしゃだん）という仏教信仰のない地方に、竹かごに魚を入れて売り歩く、立ち居振る舞いといい心がけといい、なにひとつ非の打ち所のない麗しい乙女がいた。その地方の大人たちは「養女にしたい」と願い、独身男性はその美しさに妻にしたいと競い合った。するとその乙女は、

「私は仏教を悦んでおります。もし、仏教に通じている人がいたら、その人を夫にしたいと考えております。毎日、普門品を読んでくださるお宅ならば」

と、次第に範囲を狭め、さらにいった。

「三日間に、法華経一部八巻を、読誦できるようなお方なら」

そのうちに馬郎なる若者が仏教をよく知っていたので、この乙女を妻に迎えることができた。ところがいよいよ嫁入りという、その朝にその女は死んでしまった。馬郎はじめ一同が大変悲しんで、野辺の送りをすませ、塚に埋葬して数日経ったころ、尊い老僧がやってきていった。

「この乙女こそ、観世音菩薩さまで、この地方に仏法を広めるために、仮のお姿でお出でになったのです。ここに埋めた棺のなかを見なさるとわかるでしょう」

馬郎らが棺のふたを開けて見ると、霊骨が金の鎖となって光を放っていた。そこで村人は初めて乙女が観世音菩薩の化身であることを知り、竹かごに魚を入れて売り歩く麗しい乙女の姿を刻んで、馬郎の家に代々祀ったという。このことがあってからこの地方は、すべての人が

門前に安置の六地蔵

仏教に帰依するようになったといわれている。

後に馬郎の子孫が、中国からこの像を奉持して長崎に渡来した。魚籃寺の開山称譽上人の恩師の法譽上人に帰依して、その像を寄進し、仏法を世に広めてくださるように願ったという。そこで法譽上人は、元和三年（一六一七）豊前中津に魚籃院という草庵をこしらえ、この観音さまを安置した。そして、仏法を広く世に伝えようとして尊像を江戸に移し、寛永七年（一六三〇）に江戸の三田に庵をこしらえてお祀りした。やがて、法譽上人の弟子称譽上人は、その地が狭くなったので、四代将軍家綱の承応元年（一六五二）に現在の観音堂をつくり、三田山魚籃寺を創建し、現在に至っているという。

魚籃という名の観音さまだけに、古くから大漁祈願、魚介類供養、海上安全、旅行安全、また、商売繁昌、交通安全を祈願する人が多く、またご本尊が美しい乙女のお姿であるので、女性の篤い信仰をうけて、安産、家内安全、子育て等々の祈願が多いそうである。

乙女の姿をした仏さまはあまり例を見ないが、『観音経』に「応以婦女身得度者　即現婦女身而説法」(婦女身をもって得度すべきものには、即ち婦女身を現じて説法す）と記されているように、魚籃観音さまは、まさにその姿そのものである。また、『西遊記』には、三蔵法師が金魚の妖怪に囚われたとき、観世音菩薩が法師を救うために、竹で編んだ魚かごを使ったときのお姿を写したのが、魚籃観音さまであると記されている。

以上が、いただいた「魚籃観世音菩薩と魚籃寺」を要約したものである。

毒を除く魚供養の観音さま

『江戸名所図会』の挿絵を見ると、山門内外に出店が出て、さして広くない境内に、お茶どころがあったり露店があったり、多くの参詣者で賑わっている。昔は現在よりはるかに観音信仰が篤く、また現代と違って寺院が娯楽・社交の役割を担っていたのが、この『図会』を見るとよくわかる。

また、魚籃観音は大変信仰を集めた観音さまで、川柳に「魚籃様お使いがらという姿」(魚かごを下げて買い物かお使いにいく姿に似ている）と詠まれている。これを見ても、とても親しみのある観音さまであることがわかる。なお、毒を除く観音さまとしても信仰され、鮮魚屋とか調理師の魚供養の本尊にされることもあるそうだ。

本堂・庫裡の裏は墓域になっている。十六

年振りに参詣すると寺務所のガラス戸に「ご朱印の方はベルを押してください。返事がなくとも入って下さい」との張り紙がしてあった。そのようにすると、ご婦人が先客の御朱印帳に筆を走らせていた。本堂は昔ながらの古い木造建築である。

ご住職には幾度か接しているが、まったく飾り気のない自然体の方である。社会に光明を与える本当に有り難い寺院である。なお、魚籃観音のご開帳は、平成十七年から五月の第二土曜日に変更された。

奉拝
三田山
魚籃観音
魚籃寺

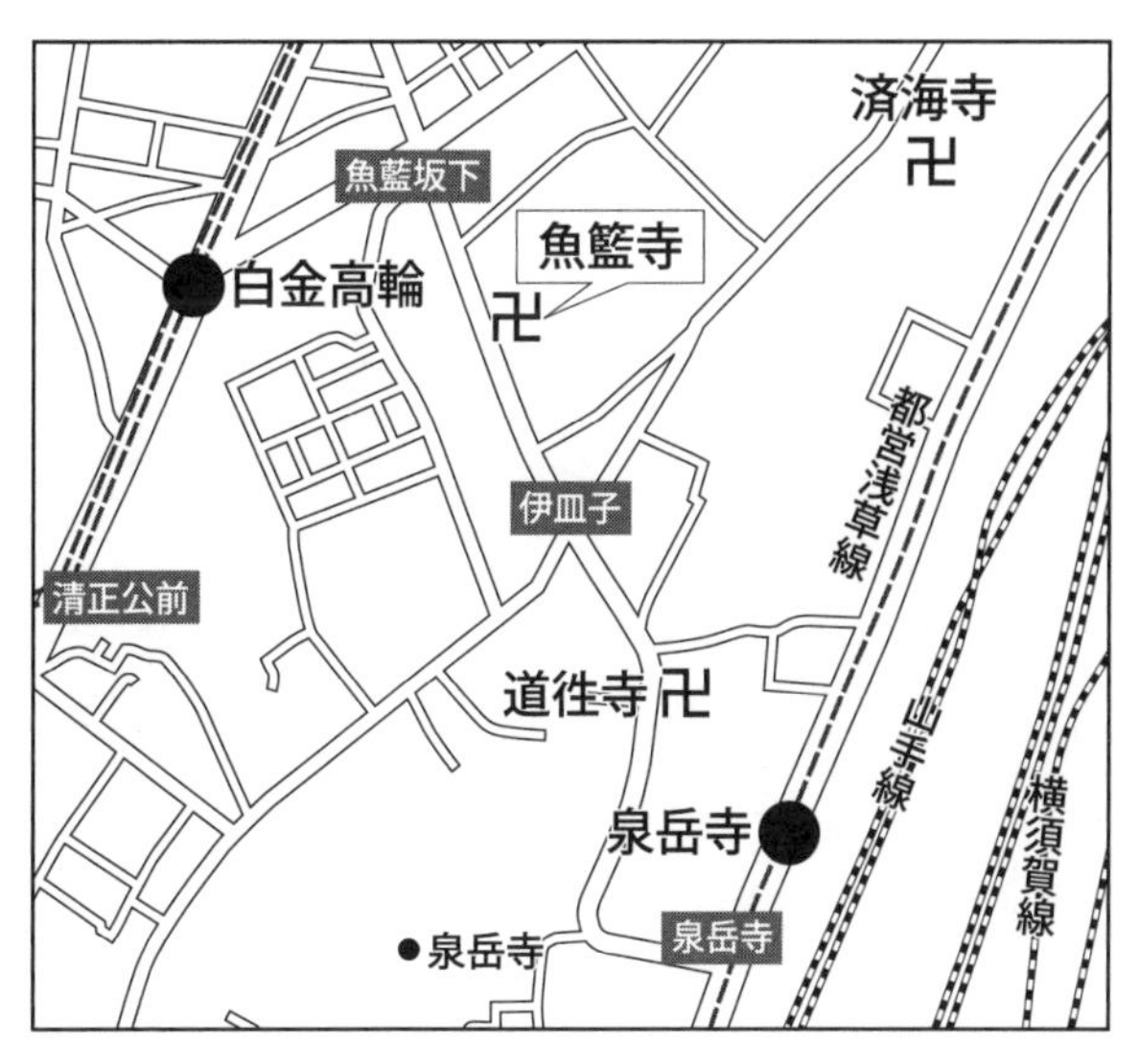

第26番　周光山　済海寺（さいかいじ）

宗派　浄土宗
札所本尊　亀塚正観世音菩薩

〒108-0073　東京都港区三田4-16-23　☎03・3451・1082

御詠歌●昔より　たつともしらぬ　いまくまの　仏の誓ひ　新たなりけり

江戸時代には眼下に極楽浄土

地下鉄「三田」駅やJR「田町」駅から第一京浜国道を横断して聖坂に出て、坂を登っていくと坂上左手に、周光山長寿院済海寺がある。桜田通りと第一京浜国道の中間にあって、馬の背中のような場所である。浄土宗の寺院であるので本尊は阿弥陀如来で、札所本尊は亀塚正観世音菩薩である。

二十五番の魚籃寺からは、魚籃坂を登りきり、伊皿子の交差点を左手に折れて、しばらく行くと右手に済海寺はある。その距離六百メートルくらいであろう。

元和七年（一六二一）に草創され、初めは寺内に亀塚があったので山号を亀塚山としていた。正保四年（一六四七）その塚とその周辺が土岐藩の屋敷となり、現在は亀塚公園になっている。寺との境界近くに塚があるが、それが亀塚で、かつては済海寺の寺域はその辺りまで及んでいたのであろう。

『江戸名所図会』によると、寺の庭からの眺めは実に絶景で、房総の山が見え、朝夕の釣り船は、「沖に小さく、暮れて数点の漁火、波を焼

本堂

くかと疑はる。……四時に観をあらためて、風人の眼を凝らしむる一勝地なり」と記されている。聖坂の上にあって、当時は眼下がすぐ江戸湾であったので、眺望はすごくよかったのであろう。『江戸砂子』によると、この寺には丈六尺の燈篭があって、沖ゆく船がその明かりを目印にして入港していたと記されている。

江戸時代までは品川沖は干拓がなされていなかったので、今の品川駅やJRの線路沿いなどは、目の前が海岸であったはずである。聖坂の下方すぐのところに潮見坂がある。その坂からも海が見えたのであるから、ましてや済海寺から見下ろす品川沖の光景はさぞや、極楽浄土の世界を彷彿させるようなものであったように思われる。

霊亀の上に立つ正観音

『江戸名所図会』には、門を入ってすぐ左手に観音堂があり、間口六尺七寸奥行き九尺、正観世音菩薩の像は四寸五分と記されている。またこの寺は、『更級日記』の竹柴寺伝説に由来している寺で、その昔、竹柴の衛士の宅地にあった酒壺の下に住んでいた霊亀を、土地の人々が神に祀ったとの伝えを記している。

ご本尊は亀の上に立っておられるので亀塚正観世音菩薩といわれ、「かつては秘仏であって、一般には開帳されていなかった」と何かの本に書いてあった。だが現在は本堂内に安置されて公開されている。バスツアーで参詣したとき、本堂に上げていただき、亀塚正観世音菩薩を拝観する機会に恵まれた。

本堂内は広くきらびやかに思えるほど明るく、正面に阿弥陀如来像が奉安されていた。向かって右手の小さな作りつけの厨子のなかに、金色の小柄の観音さまが立っておられた。亀の台座が二十センチくらいで、観音像は三十センチほどであったろうか。さして大きなものではなかった。

ご本尊に礼拝してから、バスツアーのメンバーは観音さまのところに足を運び、うっとりしたような表情で合掌礼拝をしていた。そのあと堂内のいすに腰をかけて読経をした。

この寺は寺域も広いし、墓地が清掃されていて非常に美しい。この寺には、越後長岡藩七万四千石の牧野家と伊予松山藩十五万石の久松家の墓所がある。牧野家では昭和五十七年に、国元の墓所に八人の藩主と五人の正室を改葬することにした。そのとき発掘調査が行われた。墓所に眠っていたのは、平穏無事の江戸時代にふさわしく、文化的な硯とか印籠とかが多かったそうである。

　また久松家の墓石は、三代から十五代までの藩主と正室・側室・子女の墓石が、およそ三十基ばかり建っている。

がんで亡くした夫の墓を拭く婦人

　初めてこの寺を参詣したとき、カメラを携えた男性の高齢者の方に墓地ですれ違ったので、

入口

「こんにちは」

　と声をかけたが、知らん顔で通り過ぎていく。何か探訪しているのかもしれない。しばし墓地を歩いていると、

「お寒いですね」

　六十近くの小柄なご婦人から声を掛けられた。その婦人はバケツに入った雑巾を強く絞っては、墓石を力を入れて丁寧に何度も拭いていた。

「ご主人のお墓ですか」

「そうです。この前にあるお墓は、私のお友達のお墓なんですよ」

　お友達の墓には「南無阿弥陀仏」と記され、ご主人の方は「○○家の墓」と記されている。ご主人は五十二歳で昭和六十一年に亡くなっている。墓誌にそう書いている。

「何で亡くなられたのですか」

「がんでした」

「働き過ぎではなかったのですか」

「この人は、それはもう、よく働きましたよ」

群馬の片田舎から二人は東京に出てきた。共働きで二人の男の子を育て、五十二歳で夫は往ってしまった。すごくおとなしい男性で、怒ったことなどなかったそうである。観音さまであったかもしれない。息子は二人とも結婚して家を離れ、ご婦人は一人暮らしで元気に働いているそうである。

「お嫁さんは、どうですか」との問いには、首を大きく横に振った。嫁姑の関係、職場の上司との関係、これは古くて新しい、いかんともしようがない、人間の永遠のテーマである。その婦人は週に二、三度ここに墓参りに来るそうである。墓に来るととても気が収まるとのことであった。四つの花束を夫と友人の墓前に供え、線香を焚いて二人の墓前にまた供えた。私もすこし線香をいただいて供えた。二月の冷えた空気が墓地を包んできた。婦人が後片づけを始めたのを潮に、別れを告げてその場を離れた。カメラの男性の方はなにを探しているのか、まだ墓地の中を歩いていた。


この寺は、寛永三年（一六二六）老中牧野駿河守の力を得て浄土宗として復興し、幕末には江戸五宿寺の一つに指定された。安政六年（一八五九）、フランスの総領事ベルクールが任命されて来日すると、宿舎を要求した。この寺がその宿舎に指定され、六十人ものフランス人が入って書院や庫裡を使用し、わが国最初のフランス公館となった寺でもある。

十六年振りの令和元年に参詣をした。以前は同じ本堂内に阿弥陀如来像と三十センチほどの観音像が祀られていたが、現在は門内に入ってすぐ左手の新築のお堂のなかに亀塚観音像が奉安されていた。

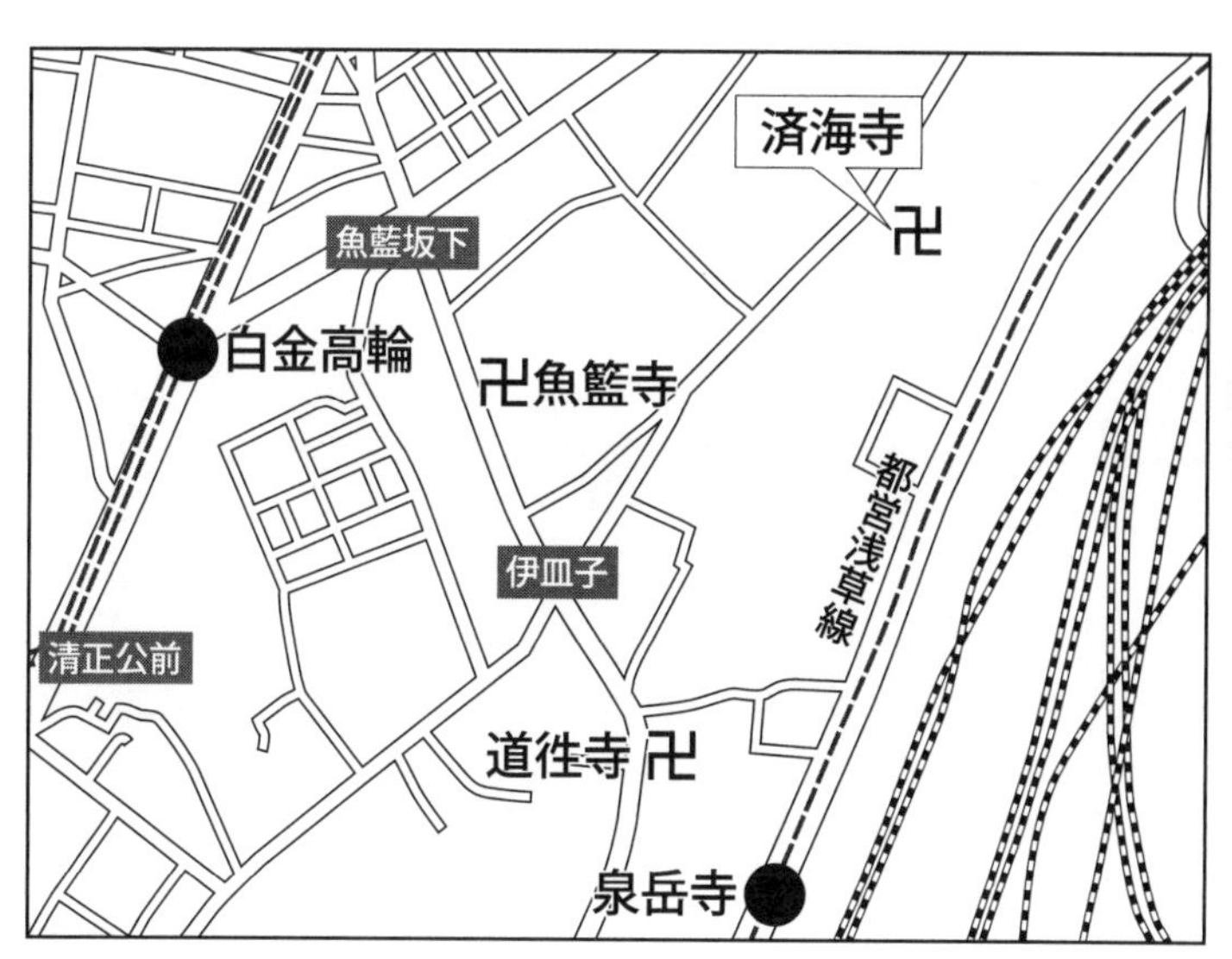

第27番　来迎山　道往寺(どうおうじ)

〒108-0074　東京都港区高輪2-16-13　☎03・3446・7676

宗派　浄土宗
札所本尊　聖観世音菩薩・千手観世音菩薩

御詠歌●かかる世に　生まれあうみの　あなうやと　をもはでたのめ　十こえひとこえ

坂の町にあるお寺

高輪は寺の町であり、また坂の町でもある。この寺町には代表的なお寺として、忠臣蔵で名高い泉岳寺をはじめ、わが国で最初にイギリス大使館になった東禅寺などがある。その一角に道往寺がある。近くに高輪台という台地があるように、実に坂の多いところである。魚籃坂、桂坂、伊皿子(いさらご)坂、名光坂など面白い名前の坂がたくさんある。

「泉岳寺」駅で下車して、ゆったりと湾曲している伊皿子坂を四分くらい登っていくと、伊皿子坂の交差点とのちょうど中間点に右折する坂道がある。バスは狭くて通れない。その坂道を下りていくと、右手に浄土宗のお寺で、山号を来迎山という道往寺がある。その辺りはわりと家並みが込み入っている。かつて伊皿子坂の下はもう海岸で、坂から海がよく見えたことから伊皿子坂は、一名潮見坂ともいわれていた。

道往寺は江戸時代の寛文年間（一六六一～一六七三）の創立で、その後は江戸三十三観音札所として賑わいをみせていたという。十数段の石段を昇り石柱の陰にある入口から寺域に入

入口

ると、すでにそこは墓地で、その墓地の奥に庫裡とつながっている本堂が正面にある。どちらも黒い屋根瓦である。

初めてこのお寺に参詣したときは、遠くに建設用の高いクレーンが動いていた。また、この寺の入口の近くに、地下水が湧き出ているところがあった。台地と低地が混在しているので、都内とはいえ低地には湧き水が出るところがあちこちにあるのであろう。

二体ある札所本尊

バスツアーでの参詣のとき、お寺のそばまではバスが入らないので、第一京浜国道でバスを止め、そこから徒歩でこの寺に向かった。そして、総員三十数人で本堂に入れていただき読経した。外から見ると本堂はそんなに大きくは見えなかったが、中に入るとかなりの広さがあった。

　堂内は二つに分かれており、向かって右手にご本尊阿弥陀如来像が安置され、左手に観音堂がある。このお寺の札所本尊は、聖観世音菩薩と千手観世音菩薩である。札所本尊が二体あるのは、このお寺と三十一番の品川寺である。秘仏である聖観世音菩薩像は観音堂の奥まった厨子のなかに納められ、その立像が厨子の前に写真で置かれている。そしてその脇に、これもご本尊の千手観世音菩薩が安置されていた。厨子の大きさからして秘仏のご本尊は、さして大きな像ではないように思われたが、お聞きしたところ、それでも身の丈三尺というから約一メートルもあることになる。

　秘仏といってもさまざまである。江戸三十三観音札所には見られないが、「観音経」に三十三に変身して現れると記されているので、三十三年に一度開扉する寺もある。秘仏にする理由は、仏像自体が持っている霊力を保つためとか、拝観する人の誤解を避けるためとか、尊像の保存のためとか、または隠すことでその神聖さを維持したり、秘仏にしてその価値を高めるとか、いろいろあるようだ。

お十夜に開帳される聖観世音

　このお寺の秘仏であるご本尊は、年に一回、毎年十月最後の土曜日にこのお寺で行われる、お十夜に開帳されると聞いていたので、私は大変楽しみにしていた。ところが残念ながらお寺の都合によって、平成十六年は開帳されないということになってしまった。奥方のお話によると、例年であれば檀家の方が四十人くらい見えて、ご住職の念仏がすむといよいよご開帳ということであった。そのあと大きな数珠をみんな

観音堂

で繰り送りする、数珠送りがあるそうである。

ここでお十夜の本家ともいうべき、鎌倉の光明寺のお十夜について述べてみよう。お十夜は、鎌倉の光明寺八世の祐崇上人が始めた法要であるのは、八番の清林寺で述べた。かつては十月五日の夜から十五日の朝までの十夜続けられていたが、今は三日に短縮されている。

ある年の秋、光明寺の本堂は約百人の僧侶と六百人の善男善女を飲み込んでいた。紫、紺、緑、萌黄の法衣をまとった僧侶が百人も一堂に会した光景はただそれだけで、初めて見る者の眼には珍しくも華やかに映る。僧侶が身に掛ける金襴の袈裟模様もそれぞれ工夫を凝らしているのであろう、まるで力士の化粧回しのようでまばゆい。そういえば導師にかしずく多くの僧侶たちの長い列は、さながら横綱の土俵入りを連想させる。やがて百人の僧侶が読経し、念仏を唱える。その声は、大音響となって堂内に響き渡る。

「ただいま、法要は厳粛のうちに執り行われています」

　司会の僧侶の言葉とは裏腹に、せき込む声、数珠をまさぐる音、念仏の声が絶えない。また、水冠を頭にいただいて内陣を巡る僧侶を、背伸びして見る青年。隣の人とお喋りを楽しむ中年の婦人。土産の鳩サブレの紙袋を後生大事に抱える老婆。おおらかで和やかな雰囲気のなか、僧俗一体となって法要は執り行われていく。僧侶の念仏は一向に止まることを知らない。周りを見渡すと、どの顔も光輝いて見える。一周忌などの法事に見られるような、寂しく辛い宗教的行事とは違って、とても明るいのである。宗教は心を軽やかにさせるものであるから、本来このようにあるべきものなのではなかろうか。

　さて、バスツアーのとき、全員が先達さんの調声によって読経した。古い本堂に読経の声が響いていく。道往寺は都心の近くにあるが、第二次世界大戦の米軍の空襲にも遭っておらず、当時の本堂をそのまま使用しているので、古いままになっている。真宗の先達さんが、帰りに私のそばでもの静かに、

「すばらしいお寺さんですねぇ。古めかしく、飾り気もなく、最近、都会ではあまり見られなくなったですね。あんなすばらしいお寺は」

　しきりに感心されておられた。そして口のなかで、幾度も呟いていた。

「なんまんだぶ　なんまんだぶ」

　よほどこのお寺が気に入られたようだ。

　十六年振りに参詣したが、すっかり建家が近代的な寺院に変身した。葬儀の相談、会場の設営なども行っていて、このようなお寺が増えて

いるようだ。

著名な一級建築士が検討から竣工まで四年の歳月を要し、寺社建設専門の会社が建設した非常に近代的で斬新な建物である。

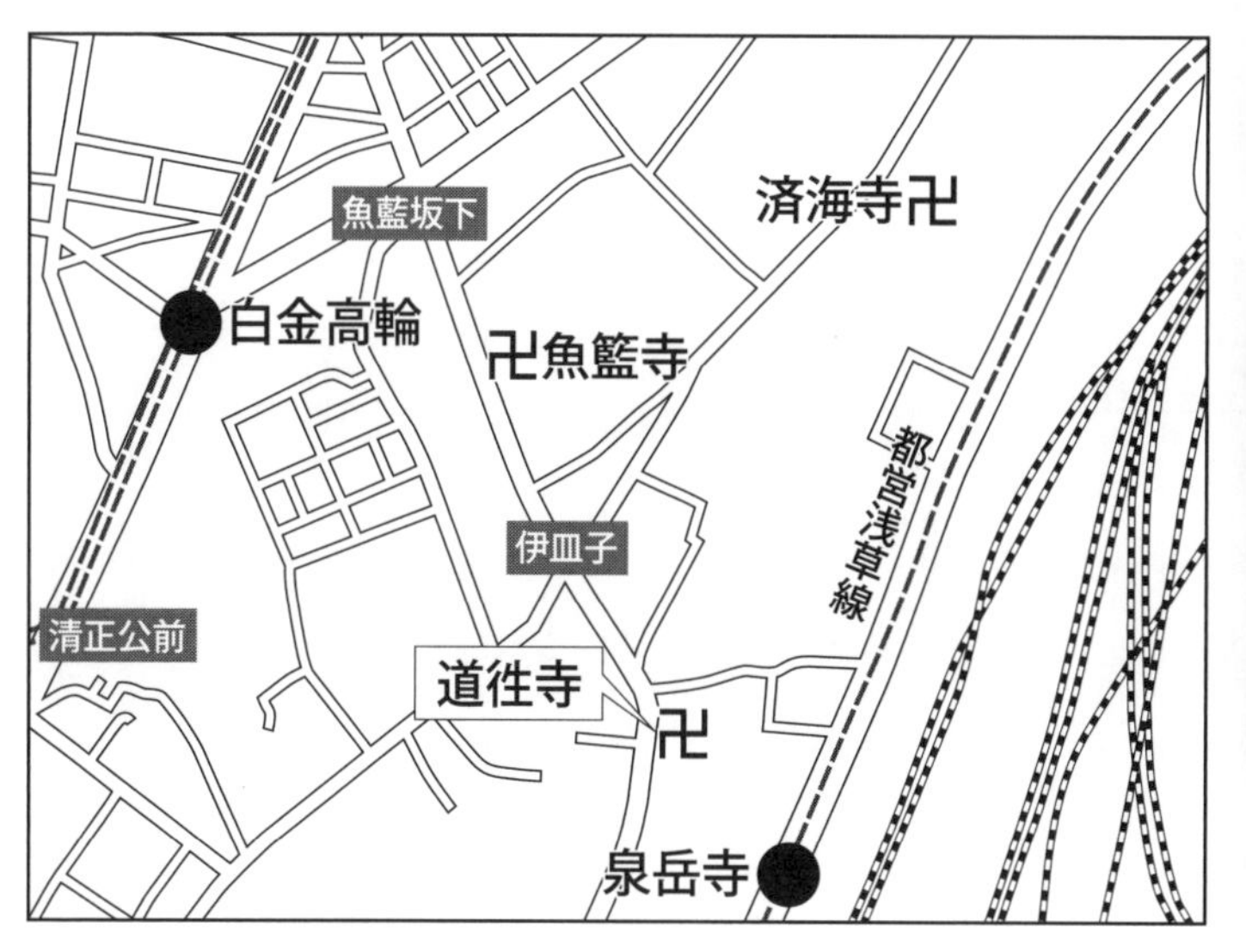

第28番　勝林山　金地院（こんちいん）

宗派　臨済宗南禅寺派
札所本尊　聖観世音菩薩

〒105-0011　東京都港区芝公園3-5-4　☎03・3431・1026

御詠歌●そのかみの　祇園精舎を　名におえる　寺のみ仏　拝むうれしさ

開山は京都南禅寺の中興開山特賜円照本光国師以心崇伝（以下「崇伝」）である。

このお寺で平成十年正月二十日、開山国師正當忌日に発行された『東都金地院略史』は、金地院についての詳細な寺史である。それによると、江戸の金地院は京都、駿府の金地院に遅れて、元和五年（一六一九）、崇伝の江戸における執務用の屋敷として建てられた。金地院ではこの年を開創の年とし、屋敷造営を生前に約束し、心配りしてくれた徳川家康を開基としている。

空襲により如意輪観音から聖観音へ

増上寺のすぐ西方に位置し、東京タワーのすぐ目の前にある。三百三十三メートルの東京タワーを支える、とてつもなく大きな支柱の一本が、すぐ門前から大空めがけて斜めにせり上がっている。その支柱を背にしながら参道を進むと、臨済宗南禅寺派に属し、山号を勝林山と号する金地院の本堂がある。裳階のある近代的な鉄筋コンクリート造りの六角形の建物である。ちなみに江戸三十三観音札所で臨済宗の寺院はこの金地院一か寺である。

本堂

家康は元和二年（一六一六）四月十七日に世を去ったが、崇伝の江戸での便宜をはかるため金地院を建てることは意中にあった。城に近い大久保長安の屋敷跡を与え、その工事を家康自ら申しつけた。だが、家康の死もあり、工事は延び延びとなり、屋敷拝領が決まったのは元和四年である。その場所はのちの田安御門内の代官町で、現在の北の丸公園の一角と考えられる。翌五年正月に工事に着手し、同じ年の十一月下旬に金地院は完成したのである。

その後、崇伝が示寂して五年後の寛永十五年（一六三八）、将軍家光から金地院は移建を命じられる。新しい土地は増上寺の隣接地で、一万二千三百五十六坪余という広大なものであった。そしてその翌年の十月二十六日、現在地の芝の伽藍に移った。二世最岳元良のときである。田安御門内にあること二十年であった。

江戸は火災の多いところである。天明六年（一七八四）と文化八年（一八一一）の大火で、伽藍のほとんどが焼失し、「御祈祷殿」として残った観音堂を本堂にしていた。ここにはご本尊の如意輪観音菩薩が安置されていた。丈四尺三寸の座像は、宋の仏工陳和卿の作と伝えられている。

ところが、昭和二十年三月十日の東京大空襲によって、土蔵一棟を除いてすべての建物と法物が焼失してしまったのである。痛ましく、まった本当に残念なことである。現在の裳階のついた六角形の本堂は昭和二十九年に再建され、新たに伽羅の一本作りの聖観世音菩薩立像がご本尊となったのである。

バスツアーで参詣したとき、本堂内に入れていただき全員で読経した。そして、みんながバスに引き上げようとしたとき、ご本尊の近くで合掌していた方が、

「ご本尊さんは、確か如意輪観音さまだと思っていましたが、聖観音さまなのですね」

と、先達さんに尋ねた。先達さんも、

「私もいまそれを考えていたところなのです。ご住職におうかがいいたしましょう」

そういわれて庫裡に向かわれ、ご住職に尋ねられた。やがて、先達は戻ってこられ、

「空襲で烏有に帰したので、変えられたとおっしゃいました」

そう周りの人々に説明していた。いろいろな事情があってご本尊が変わることも稀ではない。江戸三十三観音札所でも、戦火などによってご本尊が変わったお寺は何か寺かある。

骨太の僧、金地院崇伝

金地院の開山の崇伝は、室町幕府の要職であ

入口

る「四職」に任じられる名門の一色氏の出で、足利義輝の家臣一色秀勝の次男として生まれた。六歳のときに臨済宗の南禅寺に入って出家し、長ずるにおよび抜群の学才を認められて出世を重ね、慶長十年（一六〇五）南禅寺の二百七十世住職に三十七歳の若さでなった。

慶長十三年（一六〇八）には家康の招きで駿府におもむき、禁中並公家諸法度、武家諸法度、五山十刹諸山法度、諸宗諸寺の法度の制定に参画し、外交文書を作成するなど、江戸幕府草創期の外交と寺社行政に力を注いだ。また南禅寺の住職としては、応仁の乱で焼失した南禅寺の伽藍の復興に力を注ぎ、法堂、方丈、山門、鐘楼を次々に再建し、五山制度の統括を通じて南禅寺の権威を高め、南禅寺の中興の祖といわれた。寛永三年（一六二六）に、後水尾天皇から円照本光の国師号を賜った。

崇伝というと、二つの事件が思い起こされる。一つは豊臣氏が京都に建立した方広寺の鐘銘に、「国家安康」の四文字があって、家康の名前を引き裂いているという、いわゆる方広寺鐘銘事件。今一つは、幕府が大徳寺・妙心寺などの紫衣勅許を、無効としたことに反対した沢庵らを流罪にし、後水尾天皇譲位にまで発展した紫衣勅許事件。崇伝はどちらにも関係した。家康が亡くなるとき、遺言は本多正純と二人で聞いたといわれるほど家康の信頼が厚かった崇伝は、政治に関与して多くの法度をこしらえた。家康の宗教政策になくてはならないブレーンであり、黒衣の宰相といわれた。

しかし、崇伝は私利私欲のためでなく、徳川家のため、世の安定のため、法度に照らして正しくないものを、正しくないと糺すことができる骨太の僧であった。憎まれ役を買うことのできる気骨ある僧であった。崇伝の待遇は十万石格の大名並みであったといわれている。寛永十年正月二十日に、江戸城田安御門内にあった金地院において六十五歳で遷化した。

近藤勇の養父周斎の墓がある

現在、境内千坪、墓地千五百坪で、本堂わきの庫裡の前に奥州盛岡十万石、七戸一万一千石、八戸二万石の南部家の墓所があり、とてつもなく大きな五輪塔が整然と列をなして建っている。盛岡藩南部家の藩主のそれは国元にあり、ここにあるのは正室や子女たちのものが多いそうだ。

その奥に伊予西条藩三万石一柳家などの大名家の墓石があるほか、近藤勇の養父周斎の墓や相馬大作の首塚がある。近藤周斎は、型にとらわれない実用的な剣法の天然理心流の三代目を継ぎ、現在の市谷甲良町に試衛館道場を開き、またその合間に多摩地方にも出かけ、近藤勇、土方歳三、沖田総司らの指導にあたった剣士である。相馬大作は、南部家の家臣筋でありながら大名にのし上がった弘前津軽侯を暗殺しようとして、果たせずのち死罪になった南部家の家臣である。

十六年振りに参詣し、聖観音さまに合掌した。このお寺は東京タワーを目前にして、赤い支柱一本が大名墓所からせり上がっている感じがした。

第29番 高野山東京別院（こうやさんとうきょうべついん）

宗派　高野山真言宗
札所本尊　聖観世音菩薩

〒108-0074　東京都港区高輪3-15-18　☎03・3441・3338

御詠歌●有り難や　高野の寺の　観世音　大慈大悲に　すがるうれしさ

高野山から来た聖観世音菩薩

初めて参詣したとき、高輪警察署前の堂々とした山門から入ると、広々とした高野山東京別院の境内は、本堂と庫裡まで広がっていた。もちろん地下鉄でも八分くらいで行けるが、JR品川駅から目黒駅行きの九十三系統都営バスに乗って、高輪警察署前で下車すれば門前に停留所がある。寺域三千坪といわれている。門内すぐ右手にお砂踏みの弘法大師像があり、その先の左手には立派な近代的な建物の庫裡があり、右手には二層の大屋根を持った本堂の遍照殿が堂々とした姿で建っていた。そして大きな本堂の入口の上には、大屋根に比較するとあまりに小さい、そしてかわいらしい唐破風が参詣者を待っていた。

バスツアーで参詣したときは、高輪警察署の角を桂坂のほうに右折し、脇門から入り、駐車場にバスを止めて、全員が本堂に向かった。本堂内は広々とした畳敷きの内陣と、石敷きの広い外陣で構成されていた。そこには天竺様の太い円柱が幾本も立っており、ことさら天井が高いということが印象的であった。

本堂

まるで極楽浄土をこの世に再現しているように、何か堂内が金色に輝いており、とても豪華に思えた。内陣の奥にご本尊の弘法大師像が安置されている。遠くから拝してもなかなか堂々としたお姿である。掌に煩悩を砕く菩提心の象徴である金剛杵を抱いた座像である。バスツアーのメンバーは、先達の指導によって、ご本尊に向かって読経をはじめる。

『江戸砂子』によると、ご本尊は大師四十二歳の自刻の御影と記されている。ご本尊の左右には不動明王、愛染明王が奉安されている。辺りを見回すと右手の外陣にローソク立てがあり、数本のローソクに明かりがともって、炎がかすかに揺れている。だが、どこに札所観音が安置されているのかよくわからない。堂内におられた僧侶に尋ねてようやくわかった。

右手のローソク立ての内陣の奥に札所の聖観

世音菩薩はおられた。ご本尊の弘法大師像の向かって右手に、かすかに小さく望まれる。ツアーのメンバー数人が土間から上がって、札所本尊のところに歩いていき合掌している。その高さおよそ一メートルくらいであろうか。この聖観世音菩薩は、高徳の師である東京別院四世の増舜大阿闍梨が、高野山青巌寺から奉持してきたといわれる像である。

金剛峯寺の江戸在番所として

いただいた縁起によると、高野山東京別院は総本山金剛峯寺の別院であって、慶長八年（一六〇三）徳川家康が江戸に幕府を開いたとき、高野山の学僧の在番所の寺として、浅草の日輪寺に寄留して開いたのが始まりという。そのあと明暦元年（一六五五）に芝二本榎の地を賜り、延宝元年（一六七三）に「高野山江戸在番所高野寺」として正式に建立されたそうだ。

教政両面にわたりその役割を担い、高野山から重役方が交代で参勤し、「触れ頭」としての責務を負うと同時に、古義真言寺院として学侶教修の道場、大師信仰実践の場として、檀信徒教化の重要な役割を果たしてきたのである。「触れ頭」というのは、本山に代わって寺社奉行と折衝する権威のある役職である。

その後、元禄十五年（一七〇二）、火災によって焼失したが、翌年には記録に残っているように、五代将軍綱吉の母桂昌院から五百両の寄進を受けるなどして、ただちに再建復興された。ご本尊の弘法大師の尊像は、紀州の高野山で開眼供養して、ここに安置せられた。その間仏教修行者たちの在番所、高野山の興山寺（木喰応其上人の系統）は、浅草に文殊院を建ててその任に当たっていたが、元禄六年

（一六九三）に芝白金台の高野屋敷に移された。

明治に入り幕府が消滅すると在番所も廃止されたが、高野寺の寺蹟がなくなるのを憂え、明治四年、本所牛島にあった長寿寺の名蹟をここに移して継承した。この長寿寺は、推古天皇二十五年（六一七）備後国世羅郡に、推古天皇勅願寺として創建され、天平時代、行基菩薩によって、信濃国筑摩郡深志（現在の松本市）へ移され、寛文四年（一六六四）に葛飾に移された由緒ある寺である。

境内に安置の観音像

昭和二年に、高野山東京別院と改称して寺法を改め、住職は総本山金剛峯寺の座主が兼ね、主監を任命し、別院の経営と東京における本山と宗派の教務を処弁することに定めた。大伽藍は昭和六十三年に落慶し、以後高野山真言宗の首都における拠点として活動を展開している。

『江戸名所図会』には、「白金高野寺　高野山在ばん所行人方触頭なり。本尊に弘法大師ならびに不動、愛染、観音、歓喜天を安ず。八十八か所の札の打ち留めなり」として絵が描かれている。この寺は二百年前に開創された「御府内八十八ヶ所」の振り出しの第一番であり、結願の八十八番が高野寺屋敷内にあった文殊院である（文殊院は大正七年に杉並に移転）。

『江戸名所図会』と『江戸砂子』

ここでしばしば引用する『江戸名所図会』と、

『江戸砂子』について簡単に述べておきたい。

『江戸名所図会』は江戸の寺院・神社など名所千四十三件を、七百五十四という多くの挿絵を用いて紹介した地誌である。筆者は親子三代といわれているが、天保七年（一八三六）に斎藤幸成（ゆきなり）が七巻二十冊の構成にしてまとめた。また挿絵は長谷川雪旦で、名所を緻密なまでに写実的に描いている。そのなかには現代とまったく変わらない姿のままの名所があって、われわれを驚かす。当時の庶民の活きた姿をもうまく取り入れ、江戸時代の人々の生活がおのずとにじみ出てくるようだ。

『江戸砂子』もまた同様な地誌であるが、こちらの方は『江戸名所図会』より百年早く享保十七年（一七三二）に、菊岡沾涼（せんりょう）が出版した。砂子とは金や銀の箔のことで、江戸の金箔・銀箔を散りばめた場所という意味である。これらの地誌によって昔と現代とが比較できるのは、大変楽しくまた勉強にもなる。

江戸時代の宝暦（一七五一～一七六四）のころ、四国八十八ケ所を模して作られた、十返舎一九の『東都大師巡八十八箇所』が世に出ると、人々に知れわたったという。ちなみに関東八十八ヶ所の特別霊場は、臨済宗が二か寺、天台宗が三か寺、時宗が一か寺で他はすべて真言宗の寺院である。

またこの寺の正門脇の案内板には、毎月一回、朝粥付きの写経会があったり、月二回の華道と御詠歌の教室が開かれていると説明していた。多くの寺院が、教養講座を開いたりボランティアを行ったりしているが、そういう社会に貢献する寺の姿は頼もしい。

バスツアーは、この日の午前中に魚籃寺から、済海寺、道往寺のあと、最後に高野山東京別院を巡って、昼食所の新高輪プリンスホテルに向かった。

十六年振りの参詣であった。重層の本堂は変わらず大きく、屋根瓦が太陽の光に輝いていた。御朱印帳を寺務所に預け観音さまに参詣した。その日は彼岸であったので多くの参詣者が見えていた。

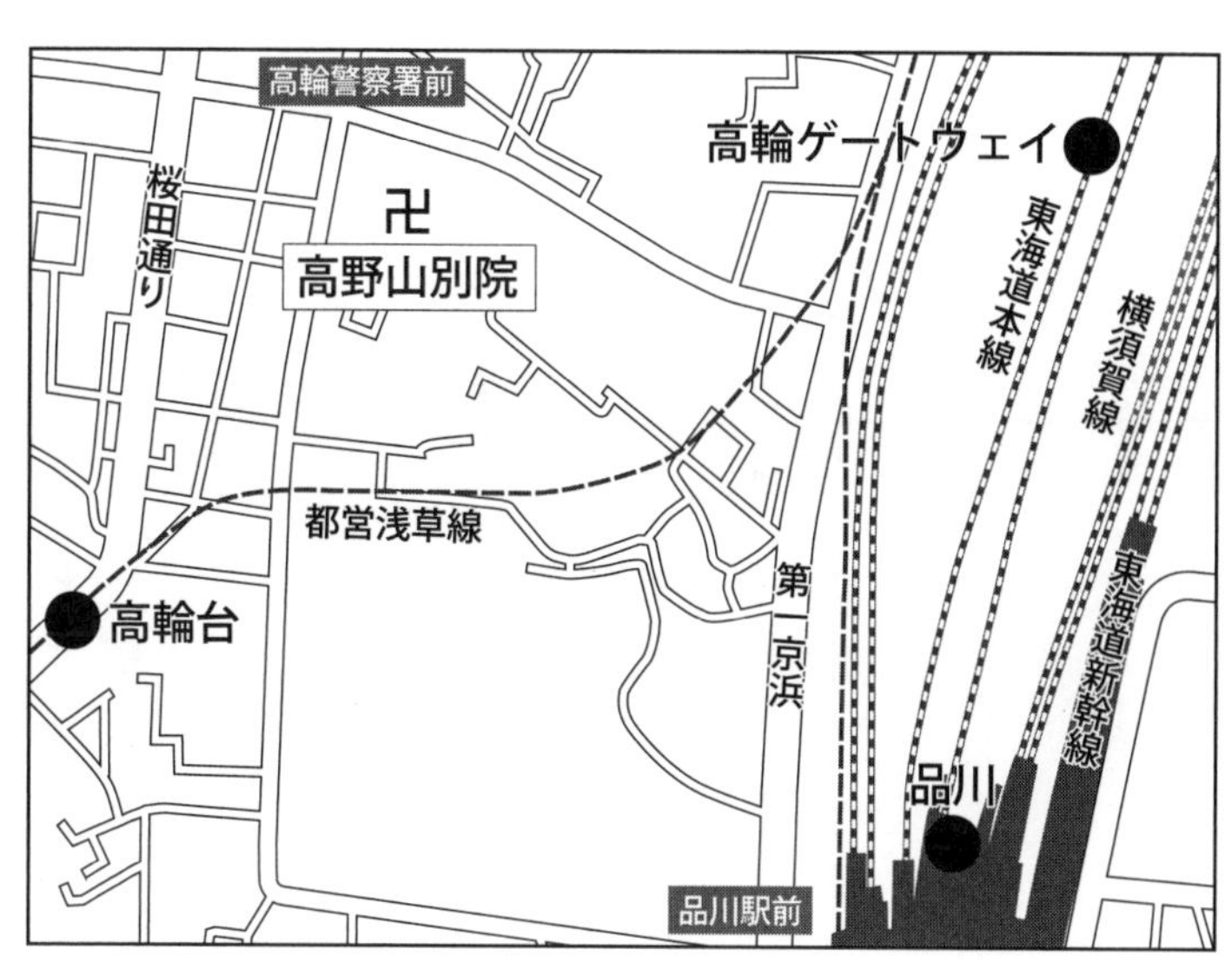

第30番　豊盛山　一心寺（いっしんじ）

宗派　真言宗智山派
札所本尊　聖観世音菩薩

〒140-0001　東京都品川区北品川2-4-18　☎03・3471・3911

御詠歌●ありがたや　東海道之道筋に　聖の御利益いただいて　背にして　我が道を往く姿かな

読経も買物も真剣な女性たち

山号を豊盛山、院号を延命院と号する一心寺は、品川成田山不動尊として近在で親しまれている、真言宗智山派のお寺である。智山派の総本山は京都・東山にある智積院（ちしゃくいん）で、名だたる寺は、大本山の成田不動の新勝寺、同じく八王子市の高尾山にある薬王院、また日野市にある別格本山高幡不動の金剛寺、そして川崎大師の平間寺などがある。

『品川区史』（通史編上巻）の附図の一八〇〇年ころの『東海道分間延絵図』や天保十三年（一八四二）の『武家地・寺社地・寺社門前地・町地入組地』を見ると、三十一番の品川寺や番外の海雲寺は描かれているが、一心寺は描かれていない。それもそのはず一心寺はそれ以後の創建にかかるからである。今述べた三か寺の入口は旧東海道に面しているが、かつてその街道から東の二、三十メートル先は海であった。

一心寺は、バスツアーの第四回目での昼食後、最初に参詣したお寺であった。

新高輪プリンスホテルでは、ガイドさんがちょっと豪勢ですといわれたように、多種のバイ

山門

キングであった。笈摺を脱ぎ袈裟をはずして一般客と同じ服装をしていると、お寺めぐりの団体とは思われない。男性たちはお寺めぐりにまさか酒類を口にすることもできず、早めの食事をすませて、まだかなり時間があるのに集合場所に向かって移動を始めている。

ところが女性たちは、食事のあとのデザートを十二分に楽しみ、そのあともホテル内の専門店で、ウインドウショッピングならぬ本物の買い物を時間いっぱい楽しんでいる。寺院でも真剣に読経をしていたが、ショッピングのほうも真剣だ。生き生きとした眼で品物を物色している姿は、笈摺袈裟姿と比較してとても印象的であった。

品川宿の賑わいも今は昔

バスは品川駅からＪＲの線路をまたぐ八つ山

橋をわたると、第一京浜国道と東よりの八ツ橋通りとその二つの道路にはさまれた旧東海道の三つの道路がある。一心寺はそのまんなかにある旧東海道に面しているが、バスを通していない。だからバスは東よりの道を選んで止まった。そこから五分ほどは徒歩である。

バスツアーのメンバーのなかには、一人で何回も江戸三十三観音札所めぐりをされている人がいる。あるご老体の男性は、「昨夜八十八札所から帰ったばかりで疲れた」といいながらも、列の先頭に立って的確に先導していた。この手の人は、先達・ガイド・ドライバーの方よりも寺への道は詳しい。しかし、感心するのは、決して先達さんらの邪魔をしない。そんなところが普通のバスツアーとは異なるのであろう。一行は旧東海道を一心寺に向かって歩いた。

品川本陣は、目黒川の河口のすぐそばにある。この本陣から一心寺は目と鼻の先である。大名の数はおよそ二百六十家で、そのうち東海道を通る大名家は約百五十家くらいあったそうだ。一心寺の門前もその行列で賑わっていたのであろう。いまはその面影はほとんど残っていない。時代の推移というものを考えさせられる。品川宿は、『曽我物語』にもその名が出ているほどであるから、かなり古い宿場で、昔からあった。江戸時代は東海道の第一番目の宿場で、次の宿場は川崎宿である。だから、品川には百にも及ぶ旅籠があって栄えていた。

井伊直弼の発願で建立

伝えによると一心寺は、安政二年（一八五四）、大老井伊直弼が品川宿で、「鎮護日本」「開国条約」「宿場町民の繁栄安泰」の願いと霊験の悟りを基にして開山し、町民代表一同によ

本堂

って建立されたという。またある説によると、井伊直弼の母が江戸に下ってきたとき、大雨が降ってきたので雨がやむのを品川宿で待っていると雷が落ちてきた。そのとき直弼の母はお不動さんの幻影を見た。そのことが機縁となって、町の人々によって建立されたともいわれている。いずれにせよ井伊直弼に関係深いお寺である。それ以後、修験者がこのお寺を守って護摩を修しているようだ。

井伊家には天気に関するエピソードがいくつかある。直弼は万延元年（一八六〇）の大雪の日に命を落とし、三代の直孝は雷によって命を長らえた。

ある夏の暑い午後に、直孝が家臣を従えて江戸郊外の世田谷城のあった辺りを通ると、荒れ果てた弘徳寺の門前で一匹の猫がしきりに直孝を招いている。「化け猫だ」と、家臣の一人が断って捨てようとしたが、直孝はそれを制止して通り過ぎようとした。ふと振り返ると、猫はまだ盛んに手招きしている。直孝はその招きに誘われるように寺のなかに入った。そのとたん、直孝が歩いていた道に激しい落雷があった。その道にいたら直孝は落命したであろう。猫の招きによって危機を脱した直孝は、その猫が住職天極和尚のかわいがっている猫のタマであることを知り、その後しばしばこの弘徳寺を訪れ、井伊家の菩提寺に決めて寺容を整えた。そして、直孝が万治二年（一六五九）に亡くなるとき、遺言により、久昌院殿豪徳天英居士の法名にちなんで豪徳寺と改称したという。

豪徳寺は井伊家の菩提寺であるので、井伊家の当主の多くと妻妾・子女などおよそ三十基の墓碑が林立している。直弼の墓もある。

延命、商売の護り神として

さて、安政の大火によって一心寺は焼却してしまった。しかし明治八年には、京都本願寺の宮大工であった伊藤氏によって、本願寺と同じ方法と材料を使用して建てられたという。

昭和の時代を迎えると、中興の祖というべき中僧正弘道大和尚によって、「豊盛山延命院一心寺」の寺格を拝受し、成田山の分身である不動明王をご本尊として、延命、商売の護り神として今日まで法灯を守り続けている。江戸三十三観音札所の第三十番に指定されたのは平成四年九月一日からという。江戸三十三観音では最も新しい札所である。

一心寺はこぢんまりとした寺院である。バスツアーで参詣したときも、単独で参詣したときも、堂内がさほど広くないので外での参詣となった。したがって、札所本尊は拝観できない。

お寺さんにうかがうと、札所本尊は一尺三寸の鋳物の観音さまの立像で、護摩によってすこし色が変わったとのことであった。

一心寺ではほうろくを頭にのせ、そのうえにお灸をすえる「ほうろく灸」を行っている。また、一心寺は昭和六十一年から、「七難即滅七福即生」の故事にちなんだ東海七福神の寿老人の指定寺院に認定された。ますます栄えるお寺である。

十六年振りに参詣したときに、丁度御住職が境内に水を打っていた。御朱印を頂いたあと少しお話をした。三十四か寺のご住職と接する機会は多くなく、心の記念となった。

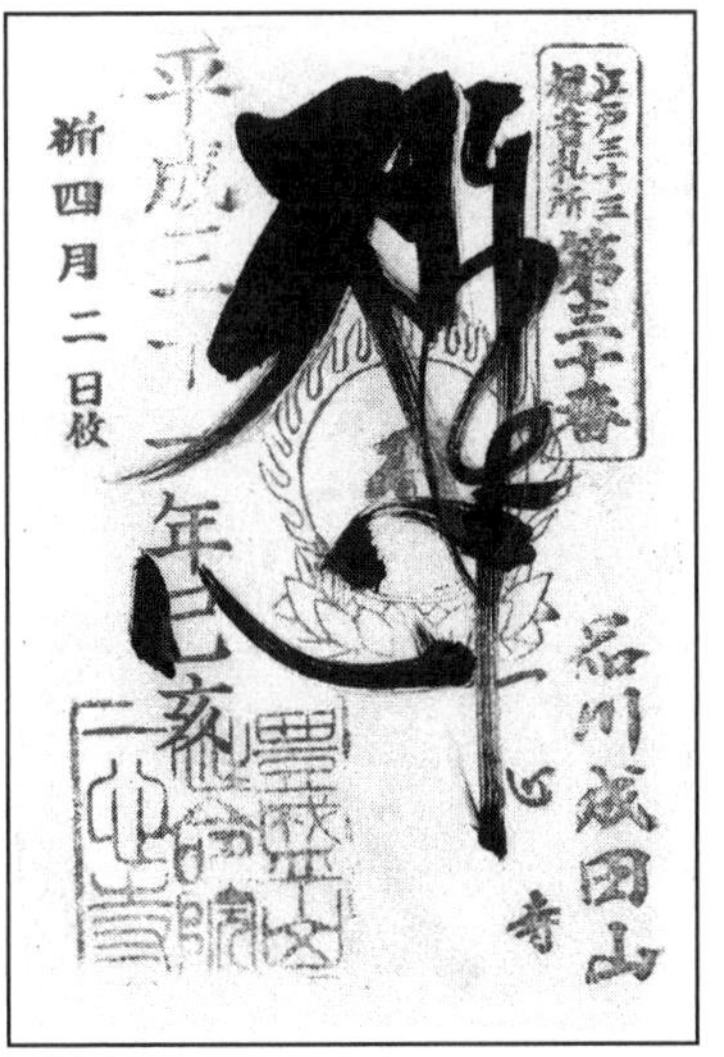

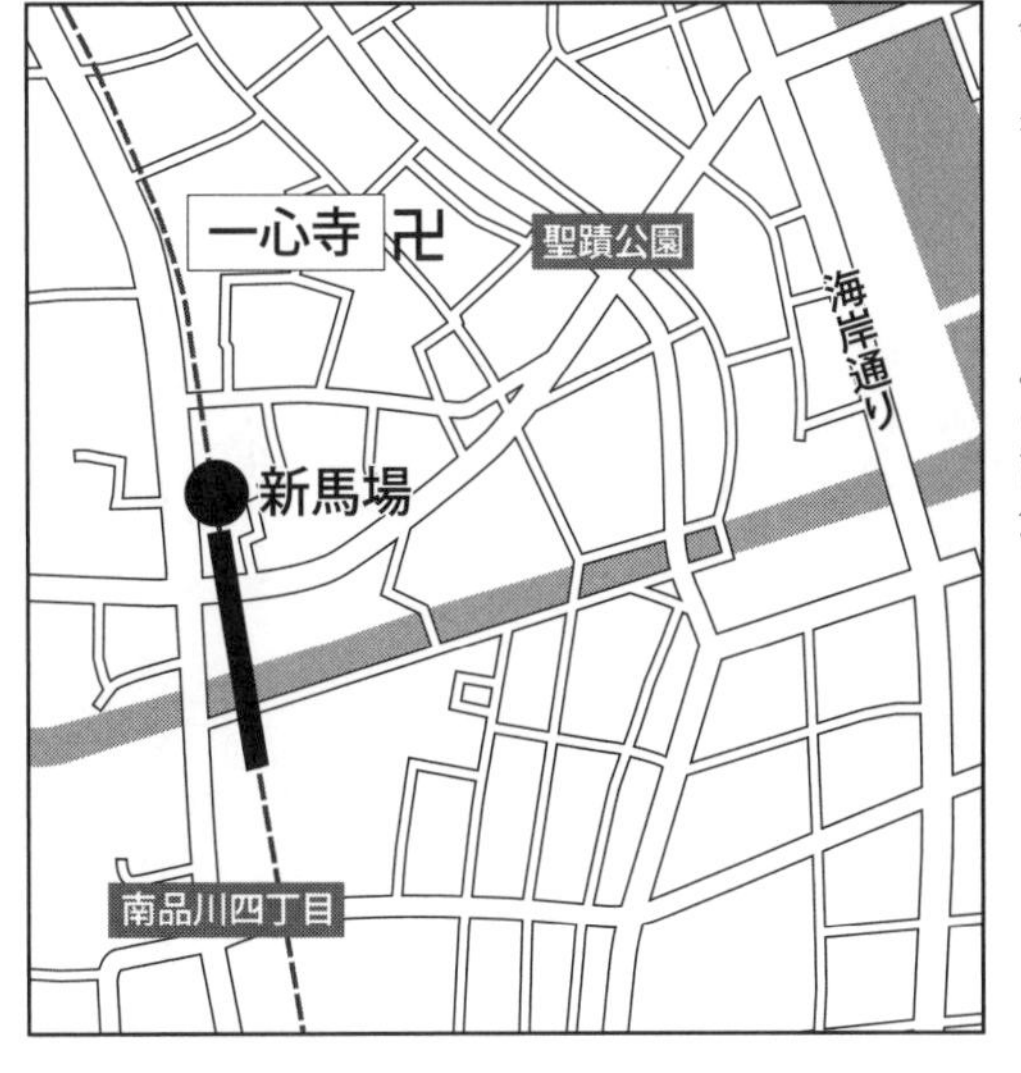

第31番　海照山　品川寺（ほんせんじ）

宗派　真言宗醍醐派・別格本山
札所本尊　水月観世音菩薩・聖観世音菩薩

〒140-0004　東京都品川区南品川3-5-17　☎03・3474・3495

御詠歌●夕つぐる　鐘の響きに　帰りませ　救世の観音　ここにまします

最も大きく最も古い地蔵菩薩

品川寺は山号を海照山、院号を普門院といい、通称「しながわでら」といわれる真言宗醍醐派の別格本山で、ご住職は総本山醍醐寺の仲田順和座主である。またこの寺は東海三十三観世音霊場の第二十一番、江戸六地蔵第一番、東海七福神「毘沙門天」の霊場でもある。

山門を入ると緑に囲まれた境内が広がり、その後方には高架の京浜急行の「青物横丁」駅が見える。駅まで直線で百メートルとはない。直線道路があれば駅から一分とかからないが、大通りを迂回しなくてはならない。それでも三分で行ける。

旧東海道に面したこの寺の入口には、地蔵坊正元が建てた江戸六地蔵の第一番の地蔵菩薩が、高い石の台座に座って参詣者を迎えてくれる。ちなみに江戸六地蔵とは、地蔵坊正元が十四歳のとき病にかかり、十六歳で出家すると、地蔵菩薩造立の大願をたて、多くの人々から浄財を集めて、宝永五年（一七〇八）から十年がかりで江戸街道の入り口に建てたお地蔵さんである。このお寺の地蔵菩薩は、現存するも

山門

ののなかで最も大きく、像高は三メートル近くもあり、一番最初に造られたものである。

　そのお地蔵さんの脇を通り山門をくぐると、すぐ右手に品川区認定の天然記念物二号の樹齢六百年、周囲五・三五メールもの大きなイチョウの樹が天を突いている。『江戸名所図会』の挿絵をみると、参道の突き当たりに重層で唐破風を持った大きな本堂が描かれているが、今の本堂は参道の突き当たりの右手奥にある。

　ご本尊は二体あって、その一体の水月観世音菩薩は厨子のなかに奉安された秘仏である。もう一体もやはり秘仏で、品川の地をおさめていた太田道灌の念持仏であった聖観世音菩薩である。『江戸名所図会』によると、「本堂　本尊聖観世音菩薩」の脚注に「海中より出現ありし閻浮檀金の霊像にして、弘法大師の念持仏なりといへり。世に水月観音と称え奉る。この霊像の利益感応のすみやかなることは、あたかも、月の水に影をやどすがごとくなりといふこころをもって、かく号くるとなり」と記されている。

品川寺の水月観音さまはどのようなお姿をしているのであろうか。ある書によると、一般に水月観音は水に映る月を眺めているそうで、岩の上に座って柳の枝を持つもの、三面六臂で蓮華、孔雀の羽、剣、宝珠などを持つものなど、姿はさまざまであるようだ。祈念すると、水難から護ったり、旅の安全を守ったり、財産を与えたり、心を癒してくれたり、出世をするなどの功徳があるようである。

弘法大師が授けた水月観音

いただいた縁起と『江戸名所図会』などによると、品川寺は弘法大師が東国巡錫のとき、この地の領主である品川氏に水月観音を授け、それ以来、品川左京亮まで六百年も品川家に伝わっていた。しかし、応永年間（一三九五〜一四二八）に起きた足利公方持氏と上杉氏憲（禅秀）の戦いで品川氏が滅び、そのときご本尊を草堂内に安置した。そのあと太田道灌が品川の地を支配したとき、このご本尊を崇拝し、長禄元年（一四五七）四月に道灌が江戸城に入ると、旧居に伽藍を建立して道灌の念持仏の聖観世音菩薩をこのお寺に移し、金華山普門院大圓寺と号した。

ところが、永禄九年（一五六六）武田信玄が小田原の北条と戦ったとき、武田の軍勢に伽藍を焼き払われ、ご本尊が甲州に持ち出された。やがてご本尊はこの地に戻ってきて、「品川観音」と慕われ、多くの人の信仰を集めたという。

承応元年（一六五二）には、羽前国の僧、権大僧都弘尊上人が、四代将軍家綱から寺領およ

本堂

そ五千坪を拝領し、徳川家の外護のもとに大伽藍を建立し、金華山普門院品川寺と改め、のちに山号を海照山と号した。江戸時代には諸大名の祈願所になり、松平讃岐守、松平阿波守、太田備中守の三家の外護を受けたという。

このお寺では明治時代の初期に、弘尊上人の発案によって明暦三年（一六五七）に鋳造した大梵鐘が、海外に持ち出され行方不明になるという大事件が起こった。その鐘は徳川家康、秀忠、家光の三将軍の号（東照宮、台徳院殿、台献院殿）と六観音を陽刻し、観音経一巻を陰刻した鐘で、京都三条の大西五郎左衛門尉藤原村長が鋳造したものという。また同じころ廃仏毀釈によって、堂塔が破却されるという憂き目をも経験した。

しかし大正の時代を迎えると、中興順海大僧正の努力によって観音堂が建てられ、行方のわからなくなっていた鐘が、スイスのジュネーブにあるアリアナ美術館にあることが判明し、多くの人々の力によって、昭和五年五月五日に、六十年ぶりにこの寺に帰ってきた。品川寺では返還六十周年を記念して、同じ型の鐘をこしらえアリアナ美術館に贈呈し、またそのことが機縁となって元順和住職の発案で、ジュネーブ市と品川区とが友好都市になったという。心温まるドラマである。

縁日に行う護摩修行

さて、観音さまの縁日は十八日である。観音さまをご本尊としている寺院では、本尊開帳があったり護摩修行をするところがあり、品川寺では護摩を厳修している。私は縁日のある昼過ぎに、この寺の山門をくぐった。本堂内には参詣者が五十人くらい外陣に座っていた。足の弱い人はいすに座っていた。十人もの僧侶が内陣に座っている。内陣の天井には梵字が書かれ、左右の壁にはマンダラが掛けられている。内陣には秘仏の奉安された厨子の前に、お前立ちの聖観音、そして左右に薬師如来、月光菩薩、日光菩薩、十二神将、不動明王、弘法大師等々の像が安置されている。

そして、外陣の机の上に「観音経」が何冊か積まれている。人々に誘われて、私も一冊お借りした。予定通り、午後一時ちょうどに護摩修行がはじまった。およそ三十分、「観音経」の冊子の次第通りに修行が進められていく。そのあと護摩木を一人ひとりが僧侶からいただいて、観音さまの前の護摩火にくべていく。参拝者は、僧侶とともに一心に「観音経」を読誦する。最後に住職のご法話があり、約一時間の護摩修行であった。

この寺では毎年九月第四日曜日に、大勢の人の前で燃えている火のなかを山伏が渡る「火渡り」の荒行が行われ、続いて、残りの火のなかを信者たちが無病息災や福寿を祈念して火渡りを行っている。品川寺は真言宗の伝統ある寺院という印象が深い。

十六年振りに参詣したが、建物と雰囲気はそのままであった。江戸六地蔵第一番の地蔵菩薩は旧東海道に面した山門前に満開の桜を背にして台座に座っていた。

江戸六地蔵の寺院は第二番は奥州街道の東禅寺、第三番は甲州街道にある太宗寺、第四番は中仙道の真性寺、第五番は水戸街道の霊岸寺、第六番は廃仏毀釈で現存していないが千葉街道の永代寺である。

第32番　世田谷山　観音寺（かんのんじ）

宗派　単立
札所本尊　聖観世音菩薩

〒154-0002　東京都世田谷区下馬4-9-4　☎03・3410・8811

御詠歌●ありがたや　その名聞こえし　世田谷の　大悲したいて　まいれもろびと

本坊は旧小田原代官屋敷

私は「三軒茶屋」駅から辺りの景色を楽しみながら、幾度か徒歩で観音寺に向かったが、バスで「世田谷観音」で下車すると、寺の裏門が近くにあり、すぐ寺域に至る。寺の正門は車の多いバス通りに面した裏門とは対照的に、車の通行はさしてない。正門の向かいは学芸大学附属高校の敷地で、この辺りはうっそうとした保存林があり、またいろいろな花が咲いて、世田谷百景にも選ばれている。

正門から参道に足を踏み入れると、左手に本坊である、堂々とした旧小田原代官屋敷があり、すぐ目の前に大きな提灯をぶら下げた仁王門が建っている。その門をくぐると右手に阿弥陀堂が、左手に二層で六角形をした不動堂が、また参道の正面に観音堂が建ち、その左手奥に特攻観音堂がある。

初めて参詣した寒い冬の朝、三十分の間に十人ほどの高齢者の参詣者が見えられ、そのうちの一人のご婦人が一つひとつのお堂の前で、柏手を打ってお祈りをしていたのがとても印象的であった。ふつう寺院では柏手を打たない。仏

観音堂（中央）

さんは人の悩みを聴こうとして、いつもその場所におられるから柏手を打って呼ぶ必要がないからである。よほどその婦人は、諸堂の仏さんに願い事を聴いて欲しかったのだろう。

　縁起をいただこうと寺務所に伺ったが、お留守のようであったのでそのまま引き返そうとしていたら、遠くにおられたご婦人がインターホンで寺の方を呼んでくださった。そのあとご婦人は、「三鈷の松を知っておられますか」といわれて、その松のところに案内してくださり、三葉の松の落ち葉を拾ってくださった。

　いただいた縁起は四枚で、一枚は年中行事や縁日、珍しい木とか野草など寺の四季、二枚目は敷地と建物の見取り図、三枚目は重文の不動明王と八大童子像、最後は特攻平和観音について記されていた。

男たちの特攻観音法要

その縁起で知って、夏の暑い十八日の観音さまの縁日に、私はこのお寺に向かった。法会は午前十一時である。本堂内で副住職にご本尊の写真撮影は禁止されているのかうかがうと、「内陣に入って、どうぞお撮りください」とのこと。二十年前に、あるお寺の内陣に入って、お叱りを受けたこともあったのでえらく感動した。ご本尊は、等身大よりやや大きめの聖観世音菩薩像である。脇侍に月光菩薩と日光菩薩が、また布袋さんやマリア観音も安置されている。ご本尊は天正年間に伊勢の国長島の興昭寺の秘仏として安置されていた像である。

やがて二十数人の参詣者が堂内に入った。小いすに座る方もおられる。十時になり太鼓が打たれ、やがて本日の法話をされる浅草寺の布教師の方が、登来盤に乗られて法要が始められた。「観音経」「般若心経」「本尊真言」「回向」と続いて、約三十分で読経は終わった。そのあと三十分、「日本文化と仏教」というタイトルで法話をいただいた。私は一番後ろのいすに腰掛け、ときどき窓越しに境内を眺めた。その間、婦人が二十人ほどあちこちの建物のご本尊などに線香を手向けている。堂内もほとんどが女性である。この辺りには信心深い方が大勢おられるなと感じた。法要は十二時半まで行われた。

近くの中華食堂で昼飯をすまし、私は午後二時から始まる特攻観音法要にも出席させていただいた。一人の婦人を含め男性十数人が出席されていた。こちらの方はほとんどが特攻隊の生き残りといった感じで、みな仲間意識があり、法要のあとは本坊で懇親会が開かれるが、それが楽しみのようだった。私がいすに座っていたら、私を仲間と思ってか、お二方が笑顔をこし

山門

らえ和やかに私の肩を叩いた。
ご住職の調声に従って、「般若心経」「十句観音経」「特攻平和観音経」が読誦される。終わってみな観音さまに焼香礼拝をする。すべての人が平身低頭し、礼拝をしている。私の脳裏には何年か前に訪ねた、知覧の特攻平和会館のことが甦ってきた。戦争が終わってすでに六十年になる。
だが、若くして逝った者への無念さは、肉親でなくても痛いほどわかる。ここにご出席のみなさんにとって、特攻で逝かれた人と観音さまは同体なのであろう。みなの背中からそれが伝わってくる。私には午前と午後の参観者の祈りは違うものに思えた。ご婦人の祈りは現世利益を、男性の祈りは現世を離れた追悼の祈りであるように思えた。

圧巻の不動明王・八大童子像

私は三月二十八日に行われる、「お不動様御開扉護摩厳修」にも参加させて頂いた。当日の十分前に境内に入ると、人々が観音堂に集まってきた。その数三十人ほど。紫色の式衣を召されたご住職が堂内に姿を現し、ご本尊の前で読経をされた。不動明王開扉のご挨拶の法会なのであろう、十五分くらいで終わった。

その法会のあと、六角堂においてお不動さんの開扉護摩が厳修された。この不動明王像は、奈良県天理市の内山永久寺不動堂に奉安されていたものであるが、明治の廃仏毀釈によって廃絶し、寺宝が散逸したのを、この観音寺で保護したそうである。

堂内の正面に、わずか一メートルほど後退させた木室があり、不動明王を中心に、左に矜羯羅、清浄、慧喜、慧光の四童子、右手に制多伽、烏倶婆俄、阿耨多、指徳の四童子、いわゆる八大童子が並んでいる。圧巻である。

この像は、旧国宝で現国指定の重要文化財である。八大童子を従えている不動明王は、関西では高野山にある運慶作のものと、関東ではこの寺の康円作のみしかない。しかも、同一作者の像で現存しているのはこのお寺だけだそうだ。ともかくこのお寺には寺宝が多くある。

読経のあとに護摩が修された。パチパチ音をたてて、油煙が天井に上がっていく。もう終りかと思っていたら、護摩木が次々と火にくべられていく。太鼓が叩かれ、二十人の参詣者が見守っている。近くに供えてあったお札をご住職が火にかざしていく。およそ四十分。ご住職が檀から下りて幾度も拝礼した後、「ご焼香をどうぞ」そういって不動明王の前に座った。一人ひとりがゆっくりと焼香する。お札を渡される方の名前が、副住職によって呼ばれていた。

　江戸三十三観音札所で唯一の単立の寺院である。戦後の創立と聞いていたが、緑深い森に囲まれ、いかにも古色蒼然として、何百年も前に建てられた由緒ある寺院の風格を感じさせる。だが開基の睦賢和尚は、在家のご出身であるという。和尚は、浅草寺に懇請して開眼の法を修し、昭和二十六年五月に独力で世田谷山観音寺を創建したといわれている。ご住職や副住職のきさくなお人柄にもよるのであろう、とにかく参詣者と密着したお寺である。

　十六年振りの参詣であったが、古い建物とその配置はそのままであった。御朱印を頂いた際に特攻観音法要が続いているのかお伺いしたが、特攻で亡くなられた縁者の方が今でも訪れているそうだ。

第33番　泰叡山　瀧泉寺(りゅうせんじ)

宗派　天台宗
札所本尊　聖観音菩薩

〒153-0064　東京都目黒区下目黒3-20-26　☎03・3712・7549

御詠歌●身と心　願いみちたる　不動滝　目黒の杜に　おわす観音

日本三大不動の一つ

山号を泰叡山と号する瀧泉寺は、天台宗に属し、熊本の木原不動、千葉の成田不動とともに日本三大不動に数えられる関東最古の不動霊場である。山門をくぐると阿弥陀堂、観音堂、地蔵堂、勢至堂など多くの堂宇が広い境内にほどよく配置されている。石段を登った高台には、ご本尊の目黒不動尊を奉安している、こぢんまりした唐破風と大きな千鳥破風の屋根をいただいた高床式の大本堂がある。ご本尊は、十二年に一度酉年(とりどし)にご開帳される秘仏である。

石段下の左手には、注連縄(しめなわ)が張りめぐらされ、どんな干天旱魃にも涸れることのない三筋の独鈷の瀧が流れている。開基の慈覚大師円仁が独鈷を投げたところ、泉が湧いて出たという伝説があり、寺号もこの湧き水に因んでいる。わが国は雨が多く水量に恵まれ、清らかな滝や湧き水があちこちでたくさん湧いている。だから瀧泉寺を名乗る寺院が各地に多くある。

石段の右手には地蔵堂があり、その右手に、中央に阿弥陀如来を祀った本坊が白壁と清水が流れる堀に囲まれている。その右手は寺務所

本堂

で、御朱印を押してくださる。そして左手には観音堂があり、その観音堂が江戸三十三観音霊場三十三番目の納めの札所である。昔から、全てを巡拝できなくとも結願札所をお参りすれば、全体を拝すると同じ御利益があると伝えられる。

三体の観音さまの優しさに包まれて

初めてこの寺を訪ねたときは、ＪＲ目黒駅から歩いてみた。大圓寺脇の急な行人坂を下り、雅叙園を横目に見ながら目黒川を渡って、五百羅漢寺の脇から山門に出た。観音堂の扉は丸窓になっており、わずかに開く隙間から観音さまを拝観した。

二度目のときは、東急電鉄の「不動前」駅から商店街を抜け、蛸薬師の成就院と安養院の門前を通って仁王門に達した。その日は桜が七分咲きのすがすがしい朝であった。花をつけた桜の枝が、観音堂の屋根に触れんばかりに伸びていた。当日は、毎月二十八日に行われる不動尊縁日でもあり、観音堂は扉が開けられていて、入堂してゆっくり拝観することができた。

観音堂に奉安されている観音像は、二・五メートルもある聖観世音菩薩の立像で、容姿端麗ですらっとして、慈愛あふれる面（おもて）をされていた。向かって右手には、一メートルほどの千手観音が厳かな面もちで立っておられ、左手には一メートルほどの愛らしい十一面観音が立って、優しい眼差しで参詣者を迎えている。

三体の観音をしばし拝観していたが、どんな願いも聴いてくださるという観音さまを実感できたように思えた。そこから離れるのが惜しい気がして、しばらく三体の優しさに包まれていた。その間、次々と参詣者が見えて、賽銭を箱に入れてローソクに火を灯したり、線香を焚いたりしている。まだ午前十時前であったが、すでに七十軒ほどの露店が出ていた。

夢枕に立った不動明王

縁起によると、平安時代の大同三年（八〇八）、第三代天台座主の慈覚大師円仁が十五歳のとき、師の広智阿闍梨（あじゃり）に伴われて、故郷の下野の国から比叡山に登る途中この地に立ち寄った。そしてその夜に、顔が青黒くて右手に剣を持ち左手に縄を持った、大変恐ろしい顔をした神人が枕元に立ち現れ、

『われは、この地にいて、悪魔を調伏し、国を鎮めようと思う。われを深く信仰する者には、願い事があれば、みな聞き届けてくれよう」

と告げたという。円仁は夢から覚めると、その姿を刻して安置した。それがこの寺の始まり

観音堂

と伝えられている。その後、円仁が唐に渡ったとき、長安にある青龍寺で不動明王を拝し、かつて夢に現れた神人が明王であることを知って、帰国したあとに堂宇を建立し、「瀧泉」を寺号とした。山号は、清和天皇のときに「泰叡」の勅額を賜って泰叡山としたという。

ちなみに『大唐西域記』『東方見聞録』『入唐(にっとう)求法巡礼行記』を世界三大旅行記というが、約十年間もの唐での求法の旅を詳細に綴ったのが『入唐求法巡礼行記』で、その著者が円仁である。円仁の創建した寺や仏像は全国でも数が大変多い。それだけ円仁とのご縁を結びたいと思っていた人が大勢いたのである。

その後、寺運は盛衰を重ねたが、江戸時代になると、三代将軍家光がしばしば鷹狩りをこの辺りで行い、目黒不動尊にお詣りして諸堂を整備したという。それと同時に、お寺に善男善女が集まるようになり、門前には左右に五、六町も店が軒を並べ、粟餅、飴、餅花などを売っていたと、『江戸名所図会』に記されている。

納めを果たした達成感と満足感

何度目かの参詣のとき、赤、緑、紺、紫などの式衣を着た七、八人の僧侶が石段上の大本堂に向かうところに出会った。後についていくと、大本堂に入った僧侶たちは、やがて読経を始めた。外陣に五十人ほどの参詣者が座っていた。護摩が修せられるようだ。護摩の時刻が堂内に掲げられていた。

回廊をめぐって大本堂の裏手に回る。すると二メートルもある露仏の大日如来が、宝冠をかぶりお腹の前で定印を結んで座っておられた。左右に花が活けられ、香が焚かれていた。そこから公園沿いに進むと瀧泉寺の墓地がある。さつまいもの栽培で名高い青木昆陽の墓は、昆陽自らが「甘藷先生墓」と記したというが、国の史跡になっている。境内には五メートルもあろうか、とても大きな昆陽先生の顕彰碑が建っている。

女坂の坂下でご婦人に出会った。さきほど参詣した札所の観音さまのような、心を癒してくれる優しいお顔であった。いや、観音さまであったのかもしれない。さまざまな神仏が祀られた浄域は、すべての人びとをつつみこむ優しさにあふれ、その場にいる者を安心させるようだ。気取りのまったくない、親しみが湧く目黒の瀧泉寺の現代の姿がそこにあった。

バスツアーのときは、初めてのときと同じように、観音堂はかすかに扉が開けられていた。観音堂の柱には「結願札所御詠歌」として冒頭の御詠歌が緑色で書かれている。それを眺めながら、みんなで読経をした。終わるとみんなの顔に自ずと笑みがこぼれていた。目黒の杜におわす観音さまにお会いできて、三十三番目の納めを果たした達成感と満足感にひたり、みんな身も心も至福のひとときを満喫しているように思われた。明日からの日常生活も、三十三か寺すべての観音さまとの出会いを心のなかに置いて、前向きな姿勢で過ごすことを誓っていた。

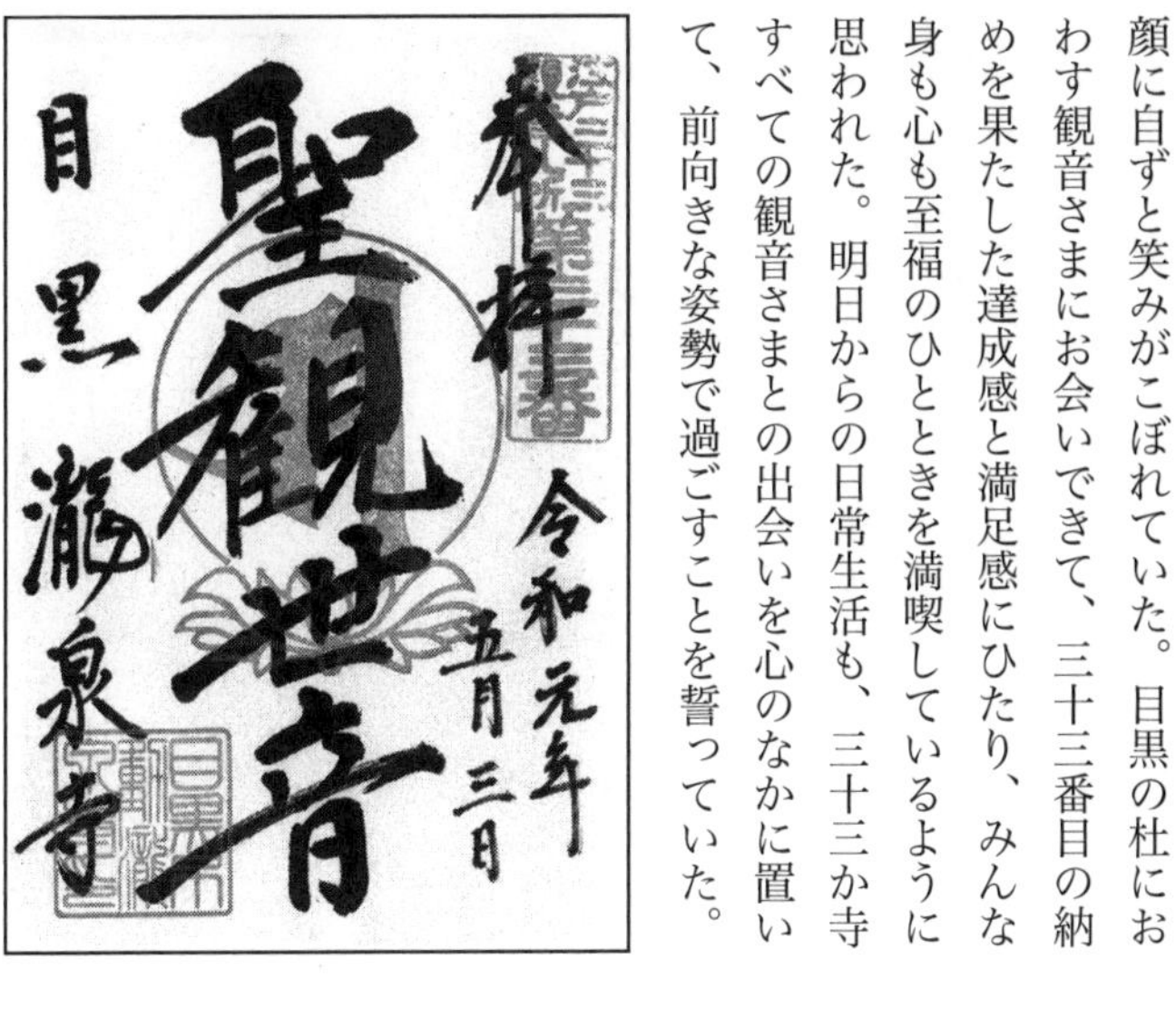

番外　龍吟山　海雲寺（かいうんじ）

宗派　曹洞宗
札所本尊　十一面観世音菩薩

〒140-0004　東京都品川区南品川3-5-21　☎03・3471・0418

御詠歌●龍吟じ　品川の海に　雲おこり　み仏の慈悲　ありがたきかな

「千体荒神」として名高い

山号を龍吟山と号する曹洞宗の海雲寺は、ご本尊が十一面観音である。だがこのお寺はどちらかというと、観音さまとしてより「千体荒神」として名高い。所在地は、第三十一番品川寺から五十メートルほど旧東海道を横浜の方に歩いた、品川寺と同じ並びの商店街の一角にある。寺の境内から見ると、京浜急行「青物横丁」駅はすぐ目の前にあるのだが、駅から直線でこの地に来ることができない。しかし、迂回しても三分とはかからない。

海雲寺は、江戸三十三観音札所の番外の寺である。番外には、定義があるのだろうか。お寺にうかがったところ、年に何回かそのような質問を受けることがあるそうだが、明確には回答できないということであった。『「観音の寺」の旅』（日本交通公社出版事業局　一九八〇年）には、「番外とは三十三札所に数えられていない寺である。そのくせ三十三所霊場巡りのコースに必ず組み入られているという寺のことである」と記され、『巡礼・参拝用語辞典』（朱鷺書房　一九九四年）には、「番付以外という意味

山門

と思われる。開創者にゆかりがある地や、札所の近くか巡礼道沿いの霊場が番外になる」と書かれている。

　山門をくぐると、向かって右手に朱印をいただく庫裡があり、中央の建物が観世音菩薩像を安置してある本堂で、左手に荒神堂が建っている。境内に入ると、荒神堂のほうが堂々として一般の人の眼には大きく映るので、知らない人は自然にそちらに足を向けてしまうようである。

　バスツアーのときは、観音堂が修復のため、内部に大工さんが入っていたこともあり、ほとんどの人が荒神堂の前に集まって読経を始めようとした。そのとたん、庫裡にいて朱印を押されていた僧侶の方が、

「観音さまは、こちらですよ」

　と声を発してくれた。そこで初めてみんな気

がついて、観音堂の前に集合したほどである。

鮫のお腹から出てきた観音さま

いただいた略縁起によると、建長三年（一二五一）に鎌倉建長寺の開山道隆の法嗣である不山東用和尚が、庵端林という草庵を海晏寺の境内に開いた。当時は臨済宗であったが、慶長元年（一五九六）海晏寺五世の分外祖耕大和尚を開山として曹洞宗に改め、そのあと寛文元年（一六六一）に海雲寺と名を変え、ご本尊として十一面観世音菩薩を安置したという。このご尊像は建長三年創立当時の像で、仏師春日の作といわれている。

京浜急行青物横丁駅の隣の駅は地名をとって鮫洲という。昔、鮫のお腹から観音像が出てきたので、その地を鮫洲といった。その話を聞いた北条時頼が、その辺りにお堂を建てると、荒れていた海が静かになったという。そこで海晏寺という寺号にしたと伝えられている。そこは海雲寺が創建されたところで、この寺から西南に二百メートルと離れていない。

海雲寺の本堂に隣接して荒神堂があり、略縁起によると、そこに安置されている千体三宝荒神は、天竺（インド）の毘首羯摩の作といわれ、大日如来、文殊菩薩、不動明王の垂迹で、三面六臂の忿怒の形相のインドの神である。垂迹とは、仏や菩薩が人々を救うため、仮の姿で現れることである。

また、脇侍として、飢を救い衣食住に不足ないよう守る飢渇神。一切の障りを除き、愛敬を授ける障碍神。不正の財をむさぼる者を罰し、正直な者に福徳を与える貪欲神。それらの神々を安置してある。三宝荒神は火と水を守ってくれる神さまなので、台所に祀ると一切の災難か

本堂

ら除かれ、衣食住に不自由しないといわれている。

島原の乱に由来する千体荒神

この千体荒神は、もともとこの地にあったのではない。寛永十四年（一六三七）、島原の乱のとき、十八歳の鍋島甲斐守直澄が江戸を出発して天草に出陣した。直澄が、天草郡の荒神が原に祀られてあった荒神王の祠に参拝し、戦勝祈願して出陣したところ、ほかの大名の軍勢が大敗しているのに、千人の神兵が直澄軍の先頭に現れ、敵をなぎ倒して大勝したという。直澄はその報恩のために、江戸に帰還したとき、千体荒神を江戸芝高輪の下屋敷にお祀りしたのである。それを因縁あって、明和七年（一七七〇）三月に鍋島家からこの寺に勧請したという。そのため、千体荒神祭の三月と十一月の二十七日と二十八日には、かつては鍋島家から家臣がきて警護にあたったそうである。

この像を海雲寺に勧請して以来、不思議な霊験が数えきれないほど多く現れているという。それは、ご本尊の十一面観世音菩薩が千体荒神に姿を変えて、衆生の救済を行っているからであろう。私はある年の三月二十八日の祭礼の日に出向いた。僧侶の方も十人を超えて出仕していた。週日であったが、露天商が境内はいうに及ばず、交通止めになった旧東海道にも出て、とても賑わっていた。警察、消防団の方々が大勢警護にあたっていた。

平蔵地蔵にまつわる哀しい話

私はその日、千体荒神堂に上げていただいた後に、棟続きになっている隣の本堂の観音堂内に赴いた。祭礼の当日はそこが控え室になっており、観音さまの前の長机にお茶が置かれて、二十数人の人々が茶をすすったり、観音さまにお参りしていた。お陰で観音さまを身近に拝することができた。観音さまはさして大きくはなかった。

参詣者は高齢者が多く、その九割は女性であった。どうしてこうも女性が多いのであろうか。知人の女性にそのわけをたずねると、「女性は出たがりで、群れたがりで、業が深いからでしょう」と笑っておられた。だがそればかりではないようだ。この荒神さまは竈(かまど)の神さまでもある。防災の上でも、台所をあずかるご婦人は参詣して、火の神さまに祈願することを忘れないようにしているのであろう。

このお寺の境内のほぼまん中に、正直者の鑑とされた平蔵を弔う平蔵地蔵がお祀りされている。平蔵は、江戸末期のころ鈴ケ森刑場の番人で乞食をしていたが、百両という大金を拾い、落とし主の仙台藩の武家を探して届けた。その武家が二十両の礼をしようとしたところ、平蔵は二日分の日当にあたる六百文しか受けとらなかった。平蔵は仲間の乞食たちから、「届けないで山分けすれば乞食から脱出できたものを」と殴られ、いじめられて凍死してしまった。これを聞いた落とし主の武家が哀れに思い、その亡骸を引き取り、近所の地に埋葬し、地蔵尊を立てて供養した。そして、後にこのお寺に移されたという。哀れな話であるが、観音札所にふさわしい話である。

十六年振りの参詣である。駅前の魚屋で道を尋ねたら「わからないから他の人に聞いてみて」と東南アジア系の女性の元気な声が返ってきた。かつての江戸も、今は様々な人種の方々が行き交うグローバルな都市である。

参拝の仕方

江戸三十三観音札所でも、四国遍路でも、板東三十三観音札所でも、参拝の仕方は、基本的に同じである。パックツアーのときは、先達が教えてくれることが多い。

1 山門を入るとき、一礼する

2 手水鉢で、手と口を清める

3 鐘をゆっくり二度つく
参拝のあとにつくと、功徳がなくなるといわれている。

4 ローソクに明かりを灯し、香に火をつける

5 納札を所定の箱に納める

6　賽銭を箱に入れる

志であるのでいくらでもよい。もちろん一円でも五円でもよい。

7　本尊と札所本尊に合掌・礼拝し、読経する

開経偈、懺悔文、三帰、三竟、般若心経、十句観音経、観音経偈、回向などを読経するが、時間の関係で割愛したり、その他とも組合せをすることがある。

8　ご朱印をもらう

バスツアーのときは、添乗員が一括してもらってくれる。

9　山門を出る前に、一礼する

読経について

巡拝の行程や時間の都合で一部を略すことがある。

開経偈

無上甚深微妙法、百千万劫難遭遇、我今見聞得受持、願解如来真実義

（和訳）すぐれたる深きみ教えは、法縁なければ遭いがたし、我、今、見聞し、身につけることを得たり。願わくは、み仏の真理の道を理解したてまつらん。

懺悔文

我昔所造諸悪業、皆由無始貪瞋痴、従身語意之所生、一切我今皆懺悔

（和訳）我、昔より積み重ねたる悪業は、むさぼりと、いかりと、おろかな心と言葉の行為のおりなすところ。今、すべてを懺悔したてまつる。

三帰

弟子某甲、尽未来際、帰依仏、帰依法、帰依僧

(和訳) 我、今生より未来に至るまで、仏、法、僧をよりどころとして、変わることなからんことを誓いたてまつる。

三竟

弟子某甲、尽未来際、帰依仏竟、帰依法竟、帰依僧竟

(和訳) 我、今生より未来に至るまで、み仏を信じ、み教えを光とし、み仏の教えを説かれる僧に帰依したてまつらん。

十善戒　下段は和訳。

弟子某甲、尽未来際　　我、今生より未来に至るまで

不殺生　殺生することなかれ
不偸盗　盗むことなかれ
不邪淫　邪淫することなかれ
不妄語　嘘や偽りをいうことなかれ
不綺語　虚飾のことばをいうことなかれ
不悪口　悪口をいうことなかれ
不両舌　二枚舌を使うことなかれ
不慳貪　貪ることなかれ
不瞋恚　怒ることなかれ
不邪見　よこしまな考えを起こすことなかれ

以上の十戒は大日如来の説き給う妙戒である。これを守るものは、鬼畜、悪魔、怨敵も仇することを得ない、仏果を得る妙道である。

発菩提心真言

おん、ぼうじ、しった、ぼだはだやみ

（和訳）清らかな仏心の蓮花を我が胸中に開かん。

三摩耶戒真言

おん、さんまや、さとばん

（和訳）仏性もとより平等なれば、仏と一体となり即身成仏せん。

般若心経

観自在菩薩。行深般若波羅蜜多時。照見五蘊皆空。度一切苦厄。舎利子。色不異空。空不異色。色即是空。空即是色。受想行識亦復如是。舎利子。是諸法空相。不生不滅。不垢不浄。不増不減。是故空中。無色無受想行識。無眼耳鼻舌身意。無色声香味触法。無眼界乃至無意識界。無無明亦無無明尽。乃至無老死亦無老死尽。無苦集滅道。無智亦無得。以無所得故。菩提薩埵。依般若波羅蜜多故。心無罣礙。無罣礙故。無有恐怖。遠離一切顛倒夢想。究竟涅槃。三世諸仏。依般若波羅蜜多故。得阿耨多羅三藐三菩提。故知般若波羅蜜多。是大神呪。是大明呪。是無上呪。是無等等呪。能除一切苦。真実不虚。故説般若波羅蜜多呪。即説呪曰。羯諦羯諦。波羅羯諦。波羅僧羯諦。菩提薩婆訶。般若心経。

十句観音経

観世音。南無仏。与仏有因。与仏有縁。仏法僧縁。常楽我浄。朝念観世音。暮念観世音。念念従心起。念念不離心。

光明真言

おん、あぼきゃ、べいろしゃのう、まかぼだら、まに、はんどま、じんばら、はらばりたや、うん

回向文

願わくは、この功徳をもって、あまねく一切に及ぼし、我らと衆生と、みな共に、仏道を成ぜんことを。

願以此功徳、普及於一切、我等与衆生、皆共成仏道

参考文献

『全国寺院名鑑』全国寺院名鑑刊行会　１９８３年
『日本寺社大鑑（寺院編）』日出新聞社　１９３３年
『日本名刹大事典』雄山閣　１９９２年
『古寺名刹大辞典』東京堂出版　１９８１年
『大日本寺院総覧　上巻』名著刊行会　１９７４年
山田英二『江戸三十三観音めぐり』大蔵出版　１９７９年
『昭和新撰江戸三十三観音札所案内』江戸札所会　２０００年
『昭和新撰江戸札所道しるべ』江戸札所会　１９９３年
中尾尭『古寺巡礼辞典』東京堂出版　１９９９年
全国霊場大事典編纂室『全国霊場大事典』六月書房　２０００年
『新版東京区別史跡ガイドシリーズ』学生社　１９９２年
『新訂江戸名所図会一～六、別巻一、二巻』筑摩書房　１９９６～９７年
大法輪閣編集部『全国霊場巡拝事典』大法輪閣　１９９７年
白木利幸『巡礼・参拝用語辞典』朱鷺書房　１９９４年
比留間尚『江戸の開帳』吉川弘文館　１９８０年

『秘仏』毎日新聞社　1991年
『観音信仰事典』戎光祥出版　2000年
本田不二雄他『観音菩薩』学習研究社　2004年
谷敏朗『図解仏像がわかる事典』日本実業出版社　2002年
西上青曜『観音図典』朱鷺書房　1992年
清水谷孝尚『観音巡礼のすすめ』朱鷺書房　1983年
『観音の寺の旅』日本交通公社出版事業局　1980年
大法輪閣編集部編『法華経入門』大法輪閣　2003年
瀬戸内寂聴『寂聴観音経』中央公論社　1990年
鎌田茂雄『観音経講話』講談社学術文庫　1991年
小池章太郎『江戸砂子』東京堂出版　1976年
長谷章久『江戸・東京歴史物語』講談社学術文庫　2003年
川田寿『江戸名所図会を読む』東京堂出版　1990年
川田寿『続江戸名所図会を読む』東京堂出版　1995年
加藤貴編『江戸を知る事典』東京堂出版　2004年
河原芳嗣『江戸・大名の墓を歩く』六興出版　1991年
塚田芳雄・遊佐喜美男共著『御府内八十八ヶ所霊場案内』下町タイムズ社　2000年

『日本歴史体系』平凡社　２００２年他
『日本仏教基礎講座1〜7』雄山閣出版　１９７８〜８０年
立松和平『はじめて読む法華経』水書坊　２００２年
三田誠広『三田誠広の法華経入門』佼成出版社　２００１年
頼冨本宏『庶民のほとけ——観音・地蔵・不動』ＮＨＫブックス　１９８４年
中村元『法華経』（現代語役大乗仏典2）東京書籍　２００３年
『古寺巡礼③江戸東京の古寺を歩く』ＪＴＢ　２００３年
その他、各寺院の縁起・案内書・パンフレット等

むすび

ここで、御朱印帳について書いておこうと思います。

と申しますのは、前回の拙本のときのご朱印は、旅行会社の方が一括してまとめてくれたものです。改訂版を出版するのにあたって、私が自分の足でご朱印を集めなくてはなりません。ですから、あらかじめ関係寺院にお電話したり、前触れもなくお寺に参り、お願いをして揃え始めました。

ところが御朱印帳を持参しないとご朱印をいただくのが難しい場合もあると耳にしました。そこで私はすぐに御朱印帳を購入しました。確かに前もって電話もいらないし安心です。一応巡拝される皆様にもお知らせしておきます。

三十四ヶ寺を巡り終えますと色々なことが、走馬灯のように脳裏を駆け巡ってきます。そのなかで、私にとって忘れられない方のことをお話ししたいと思います。

十七番寶福寺でご朱印をいただき次の十九番東圓寺までの入り組んだ道は、私にとっては苦手のことでした。そんなとき、寶福寺の奥さまが、観音堂が放火で全焼し、新しいお堂が完成して間がないのに、地図に赤線をほどこして道順を教えてくださったのです。お蔭様で難なく目的地の東圓寺に行くことができました。

東圓寺へ伺う前日に電話をかけて、ご住職に三鷹方面の中央線の駅に出たい旨をお伝えすると、「中野駅行きのバス停が近くにあり、明日ご朱印をお渡しする時に聞いてください」とのご丁重なお返事をいただいた。当日、寺族の方でしょう、ご婦人が親切に教えてくださいました。

また、書籍などを多く販売している十八番真成院に電話で御朱印帳の有無をお尋ねすると、寺にはおいていないが、大きな本屋ならあるとのこと、我が家の近くの大きな本屋に電話をして在庫を確認、十五分足らずで手に入れることができました。

三ヶ寺とも、彼岸の最中で多忙なとき、気安く誠意をもって丁重に対応してくださったのです。

ご朱印をいただいたほとんどのお寺では、親しみを頂戴いたしました。観音様と寝起きを共にされている方のお言葉を耳にしますと、ありがたくて涙がこぼれ落ちます。我々参詣者にとっては、その方々は心優しい観音様なのですね。よく、「地獄で仏に会った」という言葉を耳にしますが、お会いしたのは観音菩薩が多いのではないかと思います。菩薩とは修行を重ね仏になる身なのです。

また、二十七番道往寺の前住職の奥さんと思しき、九十歳のご婦人は、私が十六年前に、このお寺の観音さまに参詣したお話をすると、とても懐かしんで話が盛り上がりました。御朱印帳に書いていただいたご朱印と、私が持参した十六年前の拙本のご朱印を二人で見比べてみました。「聖」と「千手」を二字横に並べ、その下に「観世音」と書かれています。どちらもご婦人が達筆で書かれたのですから、当然ながら二つの文字は瓜二つ。とても懐かしそうに眺めていました。私の忘れ得ぬ人の一人になりました。また、朱鷺書房の前社長の北岡敏美氏は拙本を私とともに作り上げてくれた方です。

最後になりましたが、品川寺のご住職、この「むすび」の三ヶ寺の関係各位、朱鷺書房の嶝社長と社員の方。多くの関係された方々からのご協力を得て、文章なども幾度も推敲して『改訂版』の完成に漕ぎつくことができました。

これひとえにみなさまのお蔭と思い、こころから感謝の意を表し、筆をおきたいと思います。

有難うございました。

合掌

新妻久郎

編集後記

私が新妻久郎先生に最後にお会いしたのは、二〇一九年七月十一日に本書の改訂版の発刊の打ち合わせで、三鷹市のご自宅にお伺いした時です。

二〇一二年十一月の『改訂版　親鸞聖人二十四輩巡拝』の発刊の際に打合せでお伺いしたのが最初でした。先生も奥様もお優しく、暖かく迎えていただいたことが忘れられません。お暇の際にはいつも、途中までお送りいただきました。

二〇一五年十一月三十日に大腸がんの手術を受けられましたが、本書の発刊のために、手術後のお体にもかかわらず改めて御朱印をいただかれ、写真を撮って回られました。大変だったろうと存じます。

二〇一九年にお会いしたあと、メールが途絶え気になっていたところ、二〇二〇年の一月にご家族からご逝去されたとの連絡をいただきました。

ご家族のご要望もあり、先生の遺稿としてこの度発刊いたします。

読者の皆様におかれましては、新妻先生のお心のもと書かれましたこの巡礼案内書を手に「江戸三十三所観音霊場」を巡拝いただきたければ幸いでございます。

出版担当者

新妻久郎（にいづま・ひさお）
略　歴
1932年　満州の奉天（瀋陽）に生まれる
1958年　早稲田大学大学院政治学研究科修士課程修了
1960年　日本原子力研究所に入所
1991年　同研究所を定年退職
1992年　浄土真宗本願寺派の僧籍を取得
1993年　同派の教師（住職）資格を授けられる。
著　書
『血流記』（沢村勘兵衛伝）（纂修堂）
『いばらぎ史跡史談２７話』（崙書房）
『続いばらぎ史跡史談１５話』（崙書房）
『親鸞聖人二十四輩巡礼』（朱鷺書房）
『親鸞のあしあと』（朱鷺書房）
『昭和新撰江戸三十三所観音巡礼』（朱鷺書房）
その他　新聞・雑誌等
政労協新聞に小説「狐鷹」を１２回連載
「譜代大名内藤家の人々」を平成５年からいわき民報（いわき市）に４８回、夕刊デイリー（延岡）に１００回連載
雑誌『大法輪』に寺院紹介ほかを掲載（２０回）
雑誌『放射線と産業』に「史談つれづれ」を連載中（９５回）
その他雑誌『歴史研究』『歴史と旅』『常総の歴史』『御堂さん』『亀井』など多数掲載

江戸三十三所観音巡礼（えどさんじゅうさんしょかんのんじゅんれい）

2005年11月20日　第１版　第１刷
2021年６月28日　第２版　第１刷

著　者　新妻久郎
発行者　嶝　牧夫
発行所　株式会社朱鷺書房
奈良県大和高田市片塩町8-10（〒635-0085）
電話 0745-49-0510　Fax 0745-49-0511
振替 00980-1-3699
印刷所　モリモト印刷株式会社

ISBN978-4-88602-356-8 C0015　2021
ホームページ http://www.tokishobo.co.jp